January

1

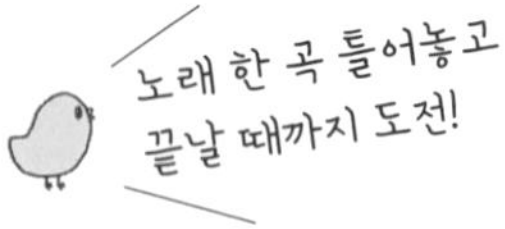

노래 한 곡 틀어놓고
끝날 때까지 도전!

트위스트 크로스

앞으로 손을 가지런히 모은 상태에서 옆구리를 두 번 비틀어
주고 세 번째에 무릎을 대각선으로 올리면서 비틀어주면 돼!
옆구리를 빨래 짜듯이! 비틀비틀비트을~~~~~

January

복부 지방 걷어내고 코어 단련하기

January

2

스탠딩 니업

팔을 위로 올렸다가 아래로 당기면서 상체를 말아주고, 한쪽
무릎을 들어 올려줘. 뱃살을 조여준다는 느낌! 한쪽 무릎 올렸
으면 처음 상태로 돌아왔다가 반대쪽 무릎 올려주면 돼.

January

3

20개 3세트

턱 주의!

크런치

하늘을 보고 누워 무릎을 세운 상태에서 그대로 상체를 지그시 들어 올려줄 거야. 턱이 몸 쪽으로 당겨지지 않게 상체를 일자로 유지하고, 턱으로 하늘을 찌른다는 느낌으로 진행해줘.

January

4

20개 3세트

엉덩이 주의!

마운틴 클라이머

엎드린 상태에서 어깨가 뒤로 빠져서 엉덩이가 솟지 않도록
배에 힘을 준 채로 진행해줘. 그 상태에서 무릎을 앞으로
번갈아 가면서 당겨주면 돼.

January

5

틈틈이
하루 100개
채우기

빨랫줄

다리는 어깨너비보다 넓게 벌린 상태에서 양팔을 옆으로
벌려줘. 골반은 고정한 상태에서 양옆에서 누가 잡아당긴다는
느낌으로 복부를 늘려주면 돼! 팔도 아픈 게 맞음~^^

January

6

새해 다짐, 작심삼일도
30번이면 평생 습관 된다.

쓰으으읍~   후우~

<u>운동의 1단계는 호흡</u>

호흡만 잘 지켜도 운동 효과가 배가 돼.
호흡이 헷갈릴 때는 '힘내'를 기억해!
힘!을 쓸 때 내!쉰다.

January

8

한쪽에 10개씩 3세트

우드 촙

어깨너비로 다리를 벌린 상태에서 스쿼트하면서 한쪽으로
두 손을 보냈다가 일어나면서 반대쪽으로 휘둘러줘. 칼로
뭔가를 벤다는 느낌으로 진행해주면 돼. 웅크렸다가 스윙!

January

9

한쪽에 15개씩 3세트
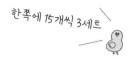

도라도라

상체를 돌리면서 한쪽 무릎을 대각선으로 올려 몸을 비틀어줘.
상체를 살짝 숙여주면 좋아. 뱃살로 빨래를 짠다고 생각해줘.
도라도라 하다가 진짜 돌아버릴지도 몰라. 농담^^~

January

10

한쪽에 15개씩 3세트

내쉬기!
후우~

팔 뻗어 옆구리 늘리기

한쪽 손은 허리를 감싸고 한쪽 팔은 귀를 가린다는 느낌으로
머리 위로 올려서 옆구리를 쭉 늘려줄 거야. 많이 안 내려가도
되니까 손이 앞으로 쏟아지지 않도록 해줘!

January

11

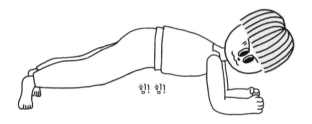

힘! 힘!

플랭크

팔꿈치는 수직으로 만들어 몸을 지탱하고, 머리부터 발끝까지
일직선을 만들어줘. 배꼽을 등에 붙인다는 느낌으로 배에 힘을
주며 버텨주면 돼. 허리가 꺾이면 안 돼!!

January

12

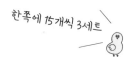

한쪽에 15개씩 3세트

사이드 크런치

하늘을 보고 누워서 무릎과 팔꿈치가 대각선으로 만난다는
느낌으로 허리를 비틀면서 올라와줘. 내려갈 땐 머리가 바닥에
완전히 닿지 않도록 내려갔다가 다시 올라와주면 돼.

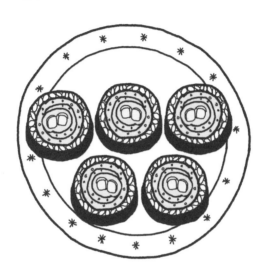

탄수화물 걱정 끝! 계란말이 김밥

좋아하는 야채를 송송 썰어 계란말이를 만들어줘.
김 위에 밥을 찔끔 얹어 얇게 펴고 계란말이를 넣어 말아주면 돼.
간편하게 단백질 챙기자!

뒹굴…
　　　뒹굴…

운동은 시작이 제일 힘든 법!
일단 일어나는 게 시작이야.

January

15

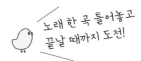

노래 한 곡 틀어놓고
끝날 때까지 도전!

크로스 니업

선 상태에서 무릎과 팔꿈치가 대각선으로 닿는다는 느낌으로
뱃살을 조여주면 돼. 한쪽 터치했으면 선 상태로 돌아왔다가
반대쪽 터치해줘. 양쪽 번갈아 가면서 진행해줘.

January

16

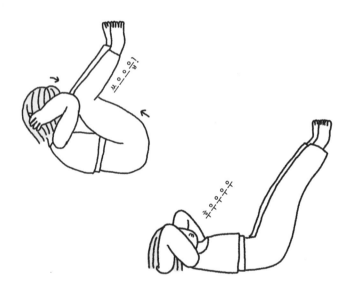

15개씩 3세트

끄으으으읍!

좋우우으으아

더블 크런치

하늘을 보고 누워서 팔꿈치로 무릎을 안는다는 느낌으로 복부에
힘을 주며 상체와 하체를 동시에 말아줘. 말았다가 허리가 뜨기
전까지만 다시 펴는 거야. 상하체가 같이 움직여줘야 해.

January

17

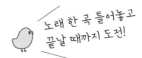

노래 한 곡 틀어놓고
끝날 때까지 도전!

사이드 펀치

한쪽 발씩 왼쪽, 오른쪽을 콩콩 찍으며 계속 움직여주고,
팔을 옆으로 뻗어 펀치를 하면서 옆구리를 쭉쭉 늘려주면
돼. 팔을 최대한 쭉 뻗어서 깊숙하게 늘려줘.

January

18

20개씩 3세트

끙...

끙...

러시안 트위스트

상체를 뒤로 45도 눕힌 상태에서 진행해줄 거야. 배에 힘을
준 상태에서 상체를 좌우로 번갈아 가며 트위스트 해줘.
뱃살로 빨래를 짠다는 느낌으로 진행해줘.

January

19

브레이싱

코로 숨을 깊게 들이마시고, 이 사이로 가늘고 길게 쓰으으으~~
하면서 내뱉어줘. 이때 허리가 바닥에서 떨어지지 않도록 눌러
줘. 어깨 내리고, 턱 당기고, 허리 누르고!

야식 안 먹는 날

"살찌면 = 짜증 난다"
먹고 후회하지 말고 야식을 참아보자!

January

21

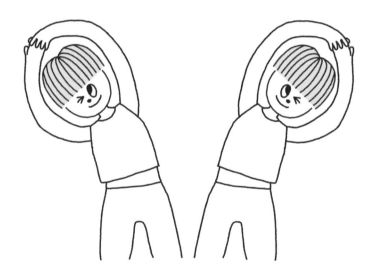

날짜 확인했으면 기지개 켜고 시작하자.

January

22

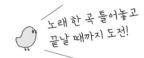

노래 한 곡 틀어놓고
끝날 때까지 도전!

크로스&사이드 니업

팔꿈치와 무릎이 대각선으로 만나도록 허리를 비틀어주고,
바로 이어서 같은 쪽 팔꿈치와 무릎이 만나도록 상체를
옆으로 숙여주면 돼. 뱃살을 조여준다는 느낌으로 진행해줘.

January

23

10개씩 3세트

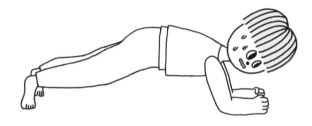

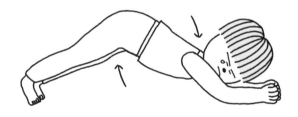

플랭크 파이크

플랭크 자세에서 엉덩이로 산을 만들면서 어깨를 뒤쪽으로
꾹 눌러줬다가 다시 플랭크 자세로 돌아오는 걸 반복해주면 돼.
플랭크 자세로 돌아왔을 땐, 허리가 꺾이지 않도록 주의해줘.

January

24

15개씩 3세트

레그레이즈

하늘을 보고 누운 상태에서 다리를 들어 올렸다 내리는 것을
반복해줄 건데, 각도가 중요한 게 아니라 허리가 뜨지 않는
상태에서 해주는 게 중요해. 허리가 뜨기 전까지만 내려줘.

January

25

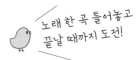

노래 한 곡 틀어놓고
끝날 때까지 도전!

예!

크로스 스텝&옆구리 늘리기

양팔을 옆으로 쭉 뻗었다가 한쪽 다리를 뒤쪽 대각선으로
보내면서 한쪽 팔을 위로 올려 옆구리를 늘려줄 거야.
이때 한쪽 팔이 귀를 가린다는 느낌으로 진행해주면 돼.

January

26

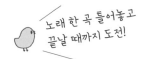

노래 한 곡 틀어놓고
끝날 때까지 도전!

힘!

어퍼컷 펀치

다리를 어깨너비로 벌린 상태에서 배에 힘을 주고 진행해줘.
위쪽 대각선으로 펀치를 날리면서 몸통을 비틀어줘.
뒤꿈치가 떨어져도 좋으니까 최대한 비트는 거야. 배에 힘!!!

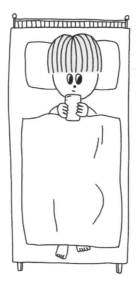

오늘은 쉬는 날!

운동만큼 중요한 컨디션 관리,
열심히 운동했으니 오늘은 이불 속에서 쉬자.
이불 밖은 위험해!

식단보다 식습관 바꾸기

먹는 걸 조절하기 어렵다면
닭가슴살 내려놓고 먼저 보통 사람부터 되자.

10개씩 3세트

당기고! →

돌리고!

마운틴 크로스

엎드린 상태에서 다리를 4단계로 나눠서 움직여줄 거야.
엉덩이가 올라와서 산 모양이 되지 않도록 주의하면서 무릎을
앞으로 당기고, 안으로 돌리고, 원위치하고, 내리기! 반복해줘.

January

30

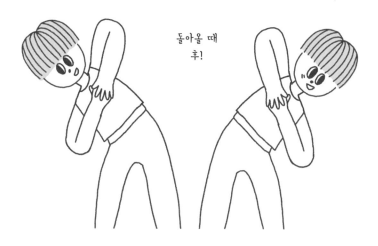

한쪽에 15개씩 3세트

돌아올 때
후!

손 모아 옆구리 늘리기

앞으로 손을 모은 상태에서 팔꿈치가 아래로 떨어지지 않도록
하고, 옆구리를 늘렸다가 돌아와줘. 돌아오면서 '후!'하고 호흡을
내뱉어줘. 상체가 앞으로 쏟아지지 않도록 그대로 내려가야 해.

January

31

한 동작당
20회씩 3세트

사이드 크런치

러시안 트위스트

마운틴 크로스

복부 지방을 빨래 짜듯 짜버리는 꿀조합!

1월 마지막 날!
1월의 꿀조합을 따라 해보자!

February

기초 대사량을 높여 체지방 태우는 몸 만들기

1

시작!

10개씩 2세트

무릎 주의!

고관절 스모 스쿼트

다리를 넓게 벌리고 선 상태에서 만세를 했다가 상체를 숙여서
발뒤꿈치를 찍어줘. 그대로 엉덩이 내려 앉고, 다시 만세한 상태로
천천히 일어나줘. 그대로 앉을 때 무릎이 안으로 모아지지 않도록
주의해줘야 해.

February

2

10개씩 3세트

백킥!!

후!

스쿼트&백킥

스쿼트하고 일어나면서 팔은 위로 쭈욱, 다리는 뒤로
쭈욱 백킥하며 몸을 늘려주면 돼. 팔을 최대한 머리 뒤로
보내면서 등까지 쭉 자극을 줘!! 일어나면서 후!

February

3

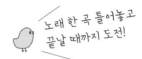

노래 한 곡 틀어놓고
끝날 때까지 도전!

뒤로차기 스텝&T

발은 뒤꿈치로 엉덩이를 찬다고 생각하고 계속해서 움직여주면
돼. 팔은 옆으로 쭉 뻗어서 T자를 만들었다가 돌아오는 것을
반복해줘. 팔을 최대한 뒤로 쭉쭉 보내주면 돼.

February

15개씩 3세트

땅 터치!

바스켓볼 스쿼트

다리를 어깨너비보다 넓게 벌리고 선 상태에서 가슴을 편 채로
땅을 찍고, 일어나면서 팔을 뒤로 쭉 보내줘. 많이 앉지 말고,
엉덩이를 뒷사람에게 자랑하듯이 내려갔다가 올라오면 돼.

February

5

12개씩 3세트

45°

벤트오버 플라이

가슴을 펴고 상체를 45도 숙인 벤트오버 상태에서 진행할 거야.
양팔을 옆으로 쭉 올렸다 내려주면 돼. 승모근이 아프다면
고개를 숙여서 진행해줘.

February

6

기초 대사량

기초 대사량은 생명을 유지하는 데 필요한 최소한의 에너지 양을 말해.
우리가 가만히 있어도 소비되는 에너지지.
그래서 기초 대사량을 높여 체지방을 태우는 몸을 만드는 게 중요해.
우선 기초 대사량부터 파악해보자.

February

7

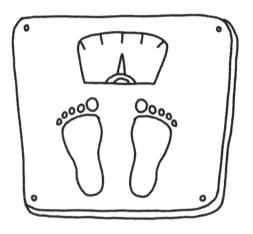

오늘 꾹 참고 운동하면
내일 체중계 올라가서 웃을 수 있다!

20개씩 2세트

스쿼트 크로스 니턱

스쿼트하고 일어나는 동시에 무릎과 팔꿈치가 대각으로
닿는다는 느낌으로 몸을 비틀어줘. 스쿼트를 할 때는
무릎이 모이지 않도록 주의하면서 진행해줘야 해.

February

9

노래 한 곡 틀어놓고
끝날 때까지 도전!

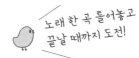

후! 하!

후! 하!

리듬 펀치

주먹을 쥐고 좌우로 쭉쭉 펀치를 해주고, 바로 이어서
위로 펀치를 해줄 거야. 옆구리를 늘려준다고 생각하고
팔을 쭉 뽑아주는 게 중요해. 발은 옆으로 콩콩 찍기!

10개씩 3세트

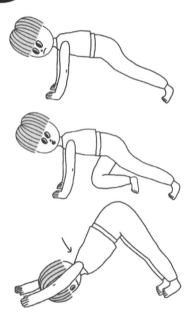

스트레칭 마운틴 클라이머

엎드려 몸을 일자로 유지한 상태에서 한쪽 무릎을 앞으로
당겼다가 돌아와서 어깨를 아래로 꾹 눌러줘. 뒤꿈치는 최대한
바닥에 붙이고, 무릎은 편 상태에서 늘려주는 산 모양 자세를 해줘.

February

11

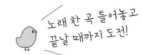

노래 한 곡 틀어놓고
끝날 때까지 도전!

쭉쭉 뻗어 옆구리 늘리기

한쪽 팔을 옆으로 쭉 보내면서 같은 쪽 다리를 반대쪽으로
쭉 뻗어주면 돼. 옆구리를 쭉 늘려준다는 느낌으로 진행해줘.
양쪽 번갈아 가면서 진행해주면 돼!

February

12

10개씩 2세트

암워킹

선 상태에서 준비를 하고 한 손씩 번갈아 가면서 바닥을 짚으며,
네 번에 걸쳐 앞으로 나가줘. 네 번 갔으면 몸을 일자로 만들었다가
다시 한 손씩 돌아와줘. 배에 힘을 준 상태에서 진행하는 거야.

피곤하다는 핑계로 운동만 내일로 미루지 말자.
운동은 내일부터가 아닌 지금부터!

February

14

이번 달 커피는 아메리카노

밥 먹고 나면 커피 참기 힘들지.
이번 달은 달달한 커피 대신 아메리카노를 마셔보자!
믹스커피 NO! 프라푸치노 NO! 크림커피 NO!

February

15

첫 번째 세트 10개, 두 번째 세트 7개,
세 번째 세트 5개

시작!

플랭크&스쿼트

스쿼트한 상태에서 땅을 짚고 한 발씩 뒤로 가 플랭크 자세로
만들어줘. 그리고 다시 앞으로 한 발씩 돌아와서 스쿼트 자세!
배에 힘주는 거 잊지 말기!! 무릎 모아지지 않도록!!

February

16

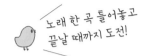

노래 한 곡 틀어놓고
끝날 때까지 도전!

당겨   당겨

뒤로차기 스텝&W

발은 뒤꿈치로 엉덩이를 찬다고 생각하고 계속해서 움직여
주면 돼. 팔은 위로 쭉 올렸다가 W 모양을 만들면서 아래로
당겨주면 돼. 팔꿈치를 뒤로 쭉 보내면서 당겨주기!

February

17

10개씩 3세트

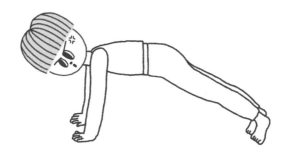

안정성 푸시업

엎드려서 다리를 어깨너비로 넓히고 가슴 옆에 손을 둔 상태가
준비 자세! 완전히 엎드렸다가 발끝에 힘을 주면서 순간적으로
올라와줘. 내려갈 땐 무릎이 아닌 허벅지부터 닿도록 해야 해.

February

18

20개씩 2세트

짠!

트위스트 런지

한쪽 발을 앞으로 뻗어서 앞다리는 ㄱ 모양, 뒷다리는 ㄴ 모양을
만들어. 그대로 내려간 상태에서 앞으로 뻗은 다리 쪽으로 상체를
비틀어서 트위스트하고 돌아와줘. 배에 힘을 준 상태에서 진행해줘!

February
19

10개씩 3세트

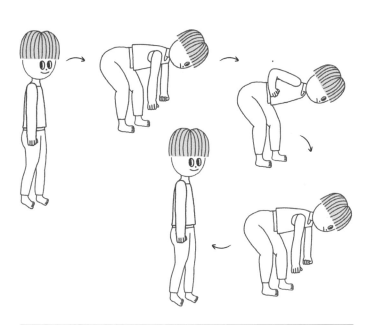

스모 데드리프트&로우

다리를 넓게 벌리고 선 상태에서 상체를 숙여 가슴을 펴고 엉덩이를 뒤로 쭉 빼면서 데드리프트를 해줘. 그 상태에서 팔꿈치끼리 만난다고 생각하고 뒤로 당겼다가 내리고 다시 그대로 상체 올라오면 돼!

February

20

오늘은 계단으로 다니는 날

엘리베이터, 에스컬레이터 금지!
오늘은 회사도 약속도 계단으로.
두 다리로 끝까지 버텨보자!

여기까지 따라온
나 자신을 믿고 응원해주자!
나 자신 잘했다!

February

22

7개씩 3세트

천천히…

슬로우 데드리프트

① 스쿼트, ② 엉덩이 올리기, ③ 귀 옆까지 팔 올리기, ④ 천천히
올라오기를 반복해줘. ①은 허벅지 앞쪽, ②는 허벅지 뒤쪽에
자극이 가야 해! ②는 뒷사람에게 엉덩이 자랑!

February

23

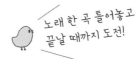

노래 한 곡 틀어놓고
끝날 때까지 도전!

백런지 스윙

한쪽 다리를 뒤로 뻗어 백런지를 하면서 팔을 머리 위로 쭉
올려줘. 팔을 내리면서 다리도 돌아오면 돼. 스윙할 때는
팔을 최대한 뒤로 쭉 보냈다가 돌아와주면 돼!

February

24

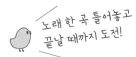

노래 한 곡 틀어놓고
끝날 때까지 도전!

사이드 스텝&팔 위아래

한쪽 발을 옆으로 옮겨 갔다가 모으고, 반대쪽 발도 옆으로 옮겨
갔다가 모으고를 반복해줘. 팔은 뻗은 상태로 머리 위로 올렸다가
옆으로 내렸다가 완전히 아래로 내리는 것을 반복해주면 돼.
계속해서 움직여줘!

February

25

10개씩 3세트

오버헤드 스쿼트

다리를 어깨너비로 서고 팔을 위로 뻗어 귀 옆에 둔 상태로 준비를
해줘. 그대로 앉았다가 일어나며 스쿼트를 해줘. 많이 앉지 않아도
되니까 손이 앞으로 쏟아지지 않도록 주의하면서 진행해줘.

February

26

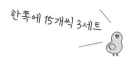

한쪽에 15개씩 3세트

사이드 킥&프레스

한쪽 팔을 위로 쭉 올린 상태에서 팔을 접어주면서 같은 쪽
다리를 옆으로 그대로 들어 올려 옆구리를 늘려줘. 이때 발이
뒤집어지면 안 돼! 복숭아뼈가 하늘~~

운동 동기 만들기

운동하느라 힘들지?
오늘은 살 빠지면 하고 싶은 걸 상상해보자!
그 상상이 다이어트의 원동력이 되어줄 거야.

February

28

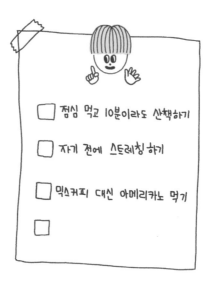

일주일 1미션 잡기

매주 꼭 지키고 싶은 목표 한 가지를 정하고,
스스로 약속을 지켰는지 일요일에 체크해봐!
일상에서 할 수 있는 것부터 차근차근해보자.

March

근육량을 업시켜보자!

March

15개씩 3세트

데드리프트

가슴을 편 상태에서 엉덩이를 뒤로 쭈욱 빼면서 상체를
숙여줘. 팔은 힘을 빼고 자연스럽게 밑으로 두면 돼.
엉덩이는 뒷사람한테 자랑~!

March

2

20개씩 3세트

와이드 스쿼트

다리를 어깨너비보다 넓게 벌린 상태에서 발끝은 바깥쪽을
보게 해주고, 무릎을 바깥쪽으로 벌리면서 앉아줘. 호흡은
일어나면서 후! 무릎이 안으로 모이지 않도록 주의해줘.

March
3

20개씩 3세트

팔 뻗어 사이드 런지

다리를 어깨너비보다 두 배 넓게 벌리고 선 상태에서 양팔을
옆으로 뻗어줘. 가슴을 편 상태에서 그대로 한쪽 무릎을
구부리며 상체를 숙였다가 일어나주면 돼. 엉덩이를 뒤로 쭈우욱!

March

4

10개씩 3세트

런지&로우

한쪽 다리를 앞으로 보내면서 상체를 숙이며 앉아줘.
그 상태에서 가슴을 펴고, 팔꿈치끼리 뒤에서 만난다는
느낌으로 당겼다가 내리고 다리도 다시 시작 자세로 돌아와.

5

10개씩 3세트

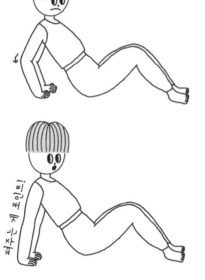

펴주는게 포인트!

딥스

무릎을 세우고 앉아 손끝이 몸 쪽을 보게 한 상태에서 팔꿈치를 구부렸다가 펴줘. 펴주면서 호흡을 후! 구부리는 것보다 펴주는 게 포인트니까 쭉 짜준다는 느낌으로 펴줘.

6

하루 종일 칼로리 태우는 버프! 아침 스트레칭

아침에 스트레칭을 해주면 근육이 전체적으로 풀어지고
몸이 순환되면서 대사 과정이 활발해져.
바로 덜 찌고 더 빠지는 상태가 되는 거지!
조금만 일찍 일어나서 스트레칭해보자.

밤에 배고프다고 냉장고 열어봤자야.
우리가 먹을 수 있는 건 물뿐이야!

March

8

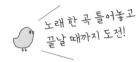
노래 한 곡 틀어놓고
끝날 때까지 도전!

짝!

암 터치 스쿼트

다리를 어깨너비보다 살짝 넓게 벌리고 선 상태에서 엉덩이를
뒤로 쭉 빼면서 한 손으로는 땅을 찍고, 반대쪽 손은 위로
쭉 뻗어줘. 일어나면서 박수를 짝! 하고 쳐주면 돼.

March

9

15개씩 3세트

쓰러스터

다리는 어깨너비로 벌리고 서고, 스쿼트하고 일어나면서 양팔을
위로 쭉 올려줘. 살짝 머리 뒤로 넘겨주면 효과는 더 좋아. 스쿼트
할 때 무릎이 모아지지 않도록 하고 일어나면서 호흡을 내뱉어줘.

한쪽에 10개씩 3세트

45°

벤트오버 사이드 킥

가슴을 펴고 상체를 앞으로 45도 숙인 상태에서 한쪽 다리를
그대로 옆으로 들어 올리는 거야. 복숭아뼈가 하늘로 향하도록
들어 올려줘. 잘되면 발이 바닥에 닿지 않게 진행해봐.

March

11

15개씩 3세트

스모 데드리프트

다리를 어깨너비 두 배로 넓게 벌리고 발끝이 바깥쪽을
향하게 서줘. 그대로 무릎을 바깥쪽으로 벌리면서 상체를
숙여 데드리프트하고 올라와줘.

일자 유지!

니 푸시업

무릎을 바닥에 대고 엎드린 상태에서 가슴 옆에 손을 두고 몸을
일자로 유지한 채로 팔을 구부려 내려갔다가 올라오면 돼.
처음엔 잘 안될 수도 있으니까 꾸준한 연습이 필요해.

화장실 운동법

화장실 간 김에 스쿼트 열 번만 하고 나오자.
스쿼트하기 싫다고 화장실 참으면 안 된다!

우리 몸은 한순간에 달라지지 않아!
하루 한 동작씩 모으고 모아 몸을 완성해보자.

15개씩 3세트

풀 스쿼트

보통 우리가 많이 하는 일반 스쿼트보다 더 깊숙하게 앉아주는
스쿼트야. 완전 철퍼덕 앉아버리는 느낌에서 살짝 엉덩이를
들었을 때 거기! 딱 거기까지 앉았다가 천천히 일어나줘.

March

16

첫 번째 세트 15개, 두 번째 세트 12개,
세 번째 세트 10개

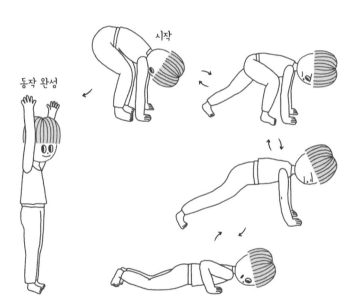

시작

동작 완성

슬로우 풀버피

바닥을 짚고 한 발씩 뒤로 갔다가 완전히 바닥에 엎드리고,
푸시업하고 올라와서 다시 한 발씩 돌아와 일어나서
만세를 해주면 돼!

10개씩 3세트

허리 조심!

플랭크 레그리프트

플랭크한 상태에서 한쪽 다리씩 위로 그대로 들어 올려줘.
허리가 꺾일 정도로 올리면 안 되고, 엉덩이에 자극이 갈
정도로만 들어 올려주면 돼. 배에 힘을 준 상태에서 진행해줘.

March

18

12개씩 3세트

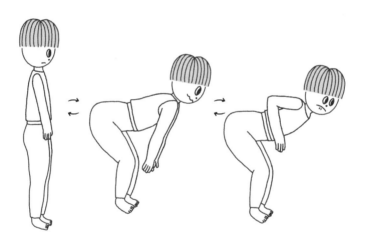

데드리프트&로우

다리를 골반 너비로 벌리고 선 상태에서 가슴을 펴고 엉덩이를
뒤로 쭉 빼면서 데드리프트를 해줘. 그 상태에서 팔꿈치끼리
만난다고 생각하고 당기고 내리고 다시 그대로 상체 올라오면 돼.

March

19

20개씩 3세트

어퍼컷 스쿼트

다리를 어깨너비로 벌리고 선 상태에서 스쿼트를 하고
일어나면서 위쪽 대각선으로 펀치를 날려 몸통을 비틀어줘.
뒤꿈치가 떨어져도 좋으니까 최대한 비틀어줘. 배에 힘!!

안전이 0순위

운동 영상을 보고 따라 하다 보면
'나는 왜 안 되지?', '왜 아프지?'한 적 있을 거야.
바로 사람마다 가동 범위가 다르기 때문이야.
그대로 따라 하려고 무리하다 보면 다칠 수 있어.
통증이 느껴지면 항상 멈춤! 꾸준한 스트레칭 잊지 말고!

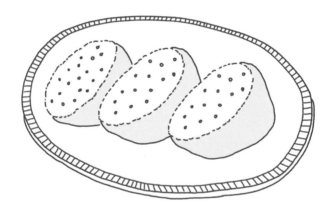

저탄고단백! 두부 유부초밥

두부를 살짝 데치고 물기를 쭉 짜기만 하면 준비 끝이야.
이제 밥 대신 두부를 넣고 유부초밥을 만들어줘!

March

22

10개씩 3세트

① ② ③ ④

더블 스쿼트

네 가지 구분 동작으로 진행할 거야. ① 스쿼트, ② 엉덩이 올리기,
③ 다시 스쿼트, ④ 업! 허벅지 앞쪽과 뒤쪽을 번갈아 가며 자극을
주는 동작이야. 천천히 진행해줘.

10개씩 3세트

스파이더 런지

엎드린 상태에서 한쪽 발을 손 옆까지 가져온 뒤 골반을
바닥 쪽으로 꾸욱 눌러줘. 양쪽 번갈아 가면서 진행해주면 돼.
최대한 체중을 실어서 골반을 깊숙하게 늘려줘.

March

24

첫 번째 세트 10개, 두 번째 세트 7개,
세 번째 세트 5개

시작

동작 완성!

× 4

암워킹 웨이브 푸시업

손으로 바닥을 짚으며 네 번에 걸쳐 앞으로 가 몸을 펴준 뒤
완전히 바닥에 엎드렸다가 올라와줘. 그리고 손으로 다시
바닥을 짚으며 네 번에 걸쳐 돌아와 일어나서 만세를 해주면 돼.

20개씩 3세트

와이드 스쿼트&레터럴레이즈

다리를 넓게 벌리고 선 상태에서 무릎을 바깥쪽으로 벌리면서
앉아줘. 그리고 일어나면서 양팔을 옆으로 뻗어 그대로 들어 올린
다음 내려주면 돼. 어깨가 으쓱하지 않도록 주의하면서 해줘.

March

26

10개씩 3세트

①

②

③

④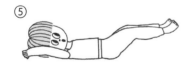

⑤

크레이즈

① 팔꿈치 사이로 무릎을 안아준다는 느낌으로 웅크리고,
② 팔다리를 위로 폈다가 ③ 팔다리를 같이 내리고
④ 팔다리 편 채로 웅크리고, ⑤ 팔다리 편 채로 내리면 하나!

오늘은 쉬는 날!

봄 하면 벚꽃이잖아.
벚꽃 구경하면서 한숨 돌리자!

운동하고 씻으면 엄청 개운해.
운동으로 하루를 마무리하고
스트레스도 함께 흘려보내자.

March

29

20개씩 3세트

스쿼트&사이드 킥

스쿼트하고 일어나면서 사이드 킥을 해줄 건데 사이드 킥을
할 때 발이 뒤집어지지 않도록 주의해줘. 복숭아뼈가 하늘로
가도록! 차지 말고 그대로 다리를 옆으로 밀어 올려줘야 해.

March

30

10개씩 3세트

푸시업&토터치

엎드린 상태에서 완전히 바닥에 엎드렸다가 올라와서 한쪽 손으로 대각선에 있는 반대쪽 발을 터치해줘. 이때, 무릎은 펴고 어깨를 꾹 누르면서 진행해주면 돼. 손이 발에 안 닿으면 무릎이나 정강이!

March

31

한쪽에 10개씩 2세트

하이런지W

다리는 앞뒤로 넓게 벌리고 상체는 꼿꼿하게 세운 상태에서
그대로 아래로 내려갔다가 올라와줘. 팔은 위로 쭉 뻗고
앉았다가 일어나면서 W를 만들어줘.

April

처진 팔을 탄력 있게! 팔 라인 만들기

팔 운동 동작이 익숙해지면 덤벨 또는 물병 들고 해보기! 자극 업!

이두! ←

→ 삼두!

이두근? 삼두근?

팔 운동하면 이두근, 삼두근 얘기를 많이 하잖아.
이두근은 팔꿈치 위쪽 앞면, 삼두근 뒷면에 있는 근육을 말해.
팔을 몸 쪽으로 당길 때 주로 이두근을,
반대로 미는 동작을 할 때는 삼두근을 많이 쓰겠지?
운동할 때 어떤 근육에 힘이 들어가는지 느껴보자!!

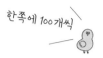

한쪽에 100개씩

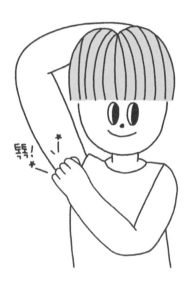

똑똑!

겨치기

팔을 올리고 겨드랑이를 톡톡 두드려줄 건데
너무 세게 두드리지 말고 아기 다루듯이 살살 두드려줘!!
어깨가 굽지 않도록 가슴을 편 상태에서 진행해줘!!

April

3

15개씩 3세트

위팔 고정

트라이셉스 킥백

팔꿈치를 90도로 접은 상태에서 위팔은 가만히 있고 아래팔만 계속해서 움직여주는 거야. 차는 게 아니라 꽉 짜준다는 느낌으로 진행해줘야 해. 팔꿈치 떨어지지 않도록 해줘.

10개씩 3세트

순환 운동

머리 뒤로 깍지를 낀 상태에서 고개를 살짝 숙였다가 팔꿈치를
벌리면서 고개를 뒤로 쭉 젖혀줘. 턱으로 하늘을 찌른다는 느낌!
팔꿈치를 최대한 밖으로 벌려준다고 생각하고 천천히 진행해.

April

5

동그라미

팔을 뒤로 많이 보내준 상태에서 진행할 거야. 팔로 크게
동그라미를 그려준다고 생각해! 어깨 으쓱하지 않도록 힘 빼고
팔만 천천히 계속 움직여주면 돼. 팔을 뒤로 보내기!! 잊지 마!!

April

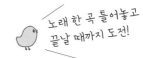

노래 한 곡 틀어놓고
끝날 때까지 도전!

쭉쭉이 크로스

팔을 쭉 펴고 앞으로 가져와서 두 손이 서로 교차하게 두 번
크로스하고 뒤로 쭉 보내주는 거야. 최대한 팔을 편 상태에서
진행해주면 돼. 어깨 으쓱하지 않도록 주의하면서 진행해줘.

어깨 으쓱=승모근

팔 운동을 하다 보면 어깨에 힘이 들어갈 수 있어.
힘들어질수록 어깨가 으쓱으쓱 올라가지?
어깨가 으쓱! 올라가면 팔이 아닌 승모근에 힘이 들어갔다는 거야.
우리가 운동할 부위는 승모근이 아닌 팔!
어깨가 으쓱하지 않게 주의하자!

April

8

운동은 나를 위한 거야.
SNS에 올라오는 다른 사람들 사진 보고 초조해하지 말고
우리는 꾸준히 우리만의 길을 걸어가자!

한쪽에 50개씩

팔 치기

한쪽 팔을 머리 뒤로 넘긴 후에 올린 팔의 이곳저곳을 툭툭
때려줄 건데, 너무 세게 치면 안 돼! 팔뚝 살이 빠지길 바라는
마음을 담아 겨드랑이 위부터 팔꿈치 아래까지 두드려줘!

April

10

20개씩 3세트

후!

팔 뻗어 올리기

팔꿈치를 귀 옆에 붙인다고 생각하고 팔을 구부렸다가
쭉 펴줘. 구부리는 것보다 쭉 펴주는 게 중요해. 팔을
뻗으면서 호흡을 내뱉어줘.

20개씩 3세트

로보트

팔꿈치를 90도로 구부린 상태에서 한 손씩 위로 올리고, 다시
아래로 한 손씩 내리며 계속해서 움직여줘. 힘들수록 어깨가
으쓱 올라갈 수 있으니까 그 부분 신경 쓰면서 진행해줘야 해!!

50개씩 2세트

잼잼 운동

팔을 앞으로 쭉 뻗은 상태에서 주먹을 꽉 쥐었다가 펴주면
돼. 개수가 늘어날수록 힘들겠지만 최대한 쫙쫙 쥐었다가
펴줘! 어깨 으쓱하지 않도록 주의하면서 진행해줘.

April

13

안으로 밖으로 비트는 게 1회!
10개씩 3세트

팔 비틀기

팔을 옆으로 올린 상태에서 빨래를 짜준다고 생각하고
비틀어주는 거야. 어깨 으쓱하지 않도록 주의하면서
최대한 귀랑 어깨랑 멀리 두고 진행해줘.

오후 3시는 물 마시는 시간

오늘부터 매일 오후 3시에 물 한 컵을 마시자.
이번 달 미션이야! 나를 위해 좀 뭐라도 하자!

섰을 때 옆으로 툭 튀어나오는 살,
손 들면 아래로 처지는 살!
이제 겉옷 벗고, 반팔 입기 시작하면 다 들킨다!
괜히 팔뚝 꼬집지 말고 돌려 돌려 겨드랑이까지
매끈하게 만들어보자!

April

16

밖으로 20개,
안으로 20개씩 2세트

밖으로~

안으로~

팔 돌리기 밖으로&안으로

팔을 옆으로 올린 상태에서 손목을 수직으로 꺾고 크게
동그라미를 그려주면 돼. 힘이 빠지면 어깨가
으쓱할 수도 있어. 최대한 귀와 어깨가 멀어지도록 해줘!

April

17

20개씩 3세트

팔 쭉쭉 밀기

팔꿈치를 편 상태에서 팔을 뒤로 쭉쭉 보내는 거야.
내리는 거 없이 그냥 뒤로 쭉 보낸 상태에서 팔을 뒤로 쭉쭉!!
계속해서 흔들리는 팔뚝 살을 짜준다고 생각해!!

18

틈틈이
하루 100개
채우기

바이비유비

손을 앞으로 모은 상태에서 팔꿈치끼리 뒤에서 만난다는
느낌으로 뒤로 당겼다가 다시 앞으로 돌아와주면 돼. 뒤로
당기면서 가슴을 살짝 앞으로 내밀어주면 효과는 더 극대화!

50초씩 3세트

교차 쭉쭉이

팔을 위로 뻗은 상태에서 번갈아 가며 접었다가 펴주는 거야.
차는 게 아니라 접었다가 쭉 짜준다는 느낌으로 밀어내줘야 해.
쫙 펴는 게 중요하니까 덜 펴면 안 돼!

April

20

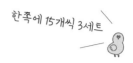
한쪽에 15개씩 3세트

원암 트라이셉스 익스텐션

팔을 위로 쭉 뻗은 상태에서 한쪽 팔꿈치씩 접었다가 펴주면
돼. 팔을 펼 때는 쭈우욱 짜준다는 느낌으로 진행해주면 돼.
구부리는 것보다 펴는 게 중요해!

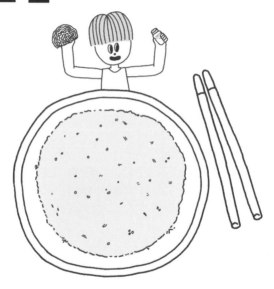

밀가루 없는 양배추 부침개

양배추를 채 썰어 준비해줘.
채 썬 양배추들이 엉길 수 있게 계란을 두 개 정도 넣어주고
소금 찔끔, 후추 찔끔! 이제 부침개처럼 구워주면 끝!
양파나 당근 등 좋아하는 야채를 넣어도 좋아!

오늘은 쉬는 날!

오늘은 운동 스위치 끄고
그냥 아무 것도 하지 말아보기

그냥 쉬어보자 이 말이야!

April

23

20개씩 3세트

망치

손깍지 끼고 팔을 쭉 뻗어 머리 뒤로 쭉 넘겼다가 앞으로
가져오면 돼. 최대한 팔을 머리 뒤로 넘길 수 있을 때까지
보냈다가 앞으로 데려와줘. 가슴을 편 상태에서 진행해줘.

April

24

10개씩 3세트

인컬&아웃컬

팔을 몸에 붙이고 손을 아래쪽에 둔 상태에서 그대로 손을 몸 쪽으로 당겨왔다가 내려줘. 그리고 바로 이어서 팔을 바깥쪽으로 벌린 상태에서 손을 몸 쪽으로 당겨왔다가 내려주는 것을 반복해줘.

April

25

50개씩 2세트

손목 꺾어 잼잼

팔을 앞으로 쭉 뻗고 손목을 위로 꺾은 상태에서 주먹을 꽉
쥐었다가 펴주면 돼. 최대한 쫙쫙 쥐었다가 펴줘! 어깨 으쓱하지
않도록 주의하면서 진행해줘.

April

26

50초씩 3세트

펄럭펄럭

팔꿈치를 편 상태에서 펄럭펄럭~ 행사 풍선이 움직이는 것
처럼 팔을 위아래로 움직여주면 돼. 위아래로 번갈아 가면서
펄럭펄럭~ 어깨 으쓱하지 않도록 주의!!

April
27

15개씩 3세트

T 플라이

양팔을 옆으로 벌려 뒤로 보내면서 가슴을 열어줘.
팔을 앞으로 가져올 때는 가슴을 모아준다는 느낌으로
진행해주면 돼. 최대한 가슴을 활짝 열었다가 모아줘.

열심히 하다가 못 참고 과식했다고,
운동을 며칠 쉬었다고 망했다고 생각하지 말자!
그동안 해왔던 노력은 몸에 남아 있어.
'그럴 수도 있지!'하고 다시 시작하면 돼!

April

29

체중을 재는 것도 좋지만 종종 눈바디를 찍어봐.
조금씩 달라지는 모습이 새로운 자극이 된다!

30

가짜
배고픔
체크!
체크!

- ☐ 갑자기 배고프다
- ☐ 자극적인 음식이 먹고 싶다
- ☐ 배불러도 계속 먹게 된다
- ☐ 배고픔이 잦아진다
- ☐ 죄책감을 느낀다
- ☐ 먹으면서도 심란하다

진짜 배고픔? 가짜 배고픔?

우리의 다이어트를 방해하는 가짜 배고픔,
다 거짓말이라고! 더 이상 속지 말자!
진짜 배고픔이 아니라고 생각되면 20분 참기!

May

전신에 붙은 체지방 날리기

May

1

10개씩 3세트

허리 조심!

태양예배 변형

엎드려서 양쪽 손바닥으로 바닥을 밀어 상체를 들어 올리고 하늘을 봐줘. 귀와 어깨는 최대한 멀리 두고, 허벅지는 바닥에서 떨어진 상태야! 숨을 들이마시고 내뱉으면서 어깨를 꾹 누르며 산 자세를 해줘.

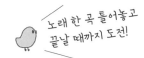

노래 한 곡 틀어놓고
끝날 때까지 도전!

밀기&뒤로차기 스텝

손목을 꺾어 손바닥을 앞으로 보여준 상태에서 팔을 앞으로
쭉 뻗었다가 뒤로 최대한 보내줘. 다리는 뒤꿈치로 엉덩이를
찬다는 느낌으로 계속해서 움직여주면 돼.

May

3

50개씩! 쉬면서 해도 돼!

PT 체조

다리는 넓혔다가 좁히는 것을 반복하고 팔은 옆으로
올렸다가 내리고, 위로 올렸다가 내리는 것을 반복해줘.
계속해서 움직이는 게 정말 중요해!

May

4

리버스 버피

선 상태로 준비하고, 앉으면서 그대로 뒤로 구르기를 한다고
생각하고 뒤로 넘어갔다가 돌아오면서 일어나주면 돼.
처음에 잘 안 일어나진다면 일어나기 직전까지만 해도 좋아.

May

5

20개씩 3세트

어퍼컷 스쿼트

다리를 어깨너비로 벌리고 선 상태에서 스쿼트를 하고
일어나면서 위쪽 대각선으로 펀치를 날려 몸통을 비틀어줘.
뒤꿈치가 떨어져도 좋으니까 최대한 비틀어줘. 배에 힘!!

신장 [   ] cm 체중 [   ] kg [계산하기]

당신의 신체질량지수(BMI)는 ___ 으로 ___ 입니다

저체중	정상	과체중	비만	고도비만
	18.5 23	25	30이상	

체지방(BMI)

체지방은 내 몸에 쌓여 있는 지방이야.
내 몸에 지방이 얼마나 있는지 BMI로 간단하게 파악해보자.
정상을 향해 열심히 달려보자고!

맛있는 거 먹으려는 한 시간 거리도 가면서
운동하려는 집 앞도 안 나가지!
오늘은 집 밖으로 나가 한 시간만 걸어보자.
일단 움직여!

20개씩 3세트

스쿼트&사이드 니업

손을 귀 옆에 둔 상태에서 스쿼트를 하고 일어나면서 팔꿈치와 무릎이 만난다는 느낌으로 상체를 옆으로 숙여 옆구리를 늘려줘. 스쿼트할 때는 무릎이 모이지 않도록 주의해줘.

May

9

첫 번째 세트 10개, 두 번째 세트 7개,
세 번째 세트 5개

시작!

동작 완성!

풀버피

바닥을 짚고 두 발 같이 뒤로 갔다가 완전히 바닥에
엎드려줘. 바로 푸시업하고 올라와서 다시 두 발 같이
돌아오고 일어나서 만세를 해주면 돼!

May

10

50초씩 3세트

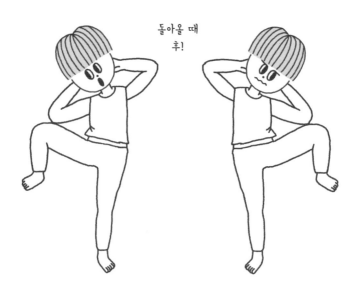

돌아올 때
후!

목도리도마뱀

손은 귀 옆에 둔 상태에서 진행해줄 거야. 상체를 옆으로
숙이면서 팔꿈치와 무릎이 만난다는 느낌으로 옆구리를
늘려주면 돼. 돌아오면서 호흡은 후! 하고 내뱉어줘.

30개씩 3세트

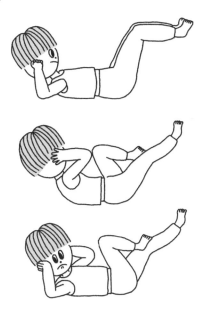

바이시클 크런치

하늘을 보고 누운 상태에서 팔꿈치와 무릎이 대각선으로 만난
다는 느낌으로 몸을 비틀어줄 거야. 양쪽을 번갈아 가면서 실행
해줘. 다리로 자전거 타는 게 아니라 그대로 쭉쭉 뻗어줘야 해.

May

12

20개씩 3세트

쓰러스터

다리는 어깨너비로 벌리고 서고, 스쿼트하고 일어나면서 양팔을
위로 쭉 올려줘. 살짝 머리 뒤로 넘겨주면 효과는 더 좋아. 스쿼트
할 때 무릎이 모아지지 않도록 하고 일어나면서 호흡을 내뱉어줘.

1:39   3:37

이 노래가 끝날 때까지

운동이 지겨울 때는 역시 음악이지. 이번 달은 하루 한 번 좋아하는
노래를 틀어놓고, 그 노래가 끝날 때까지 스쿼트를 해보자!
스쿼트가 아니어도 돼! 쉽게 따라 할 수 있는 동작들은
노래와 함께 틈틈이 해주는 거 추천!

우리 몸에는 원래 상태를 유지하려는
'항상성'이 있다는 거 잊지 말자!
빨리 빼면 그만큼 요요가 빨리 올 수 있다 이 말이야.
한 달에 10kg? 2kg씩만 꾸준히 빼도 엄청난 거야.
지금도 잘하고 있어. 자꾸 안 빠진다고 뭐라고 하지 말고
스스로 칭찬해주자!

May

15

12개씩 3세트

윈드밀 변형 스쿼트

다리는 어깨너비로 벌리고 서고, 한 손은 귀 옆에 한 손은 허벅지 옆에 붙인 상태로 스쿼트를 할 거야. 상체는 최대한 일자를 유지한 상태에서 그대로 아래로 내려갔다가 올라와주면 돼.

May

16

20개씩 3세트

크로스런지&날갯짓

한쪽 다리를 뒤쪽 대각선으로 보냈다가 돌아오고, 반대쪽도
동일하게 해주면 돼. 이때 팔은 편 상태에서 앞으로 가져왔다가
뒤로 쭉쭉 뻗어주면 돼.

12개씩 3세트

플랭크 로우

엎드린 상태에서 한쪽 팔씩 팔꿈치를 몸 쪽으로 붙이며 뒤로
쭉 당겨주면 돼. 팔꿈치가 떨어지지 않도록 날개뼈에 붙인다고
생각하고 당겨줘. 허리도 꺾이지 않도록!

May

18

50초씩 3세트

와이드 스쿼트 트위스트

팔을 앞으로 쭉 뻗고 다리를 어깨너비보다 넓게 벌리고 선 상태로
준비해줘. 무릎을 바깥쪽으로 벌리면서 앉았다가 일어나서 그대로
상체를 비틀어주면 돼. 앉을 때 무릎이 모아지지 않도록 주의해줘.

May

19

12개씩 3세트

스쿼트&굿모닝

스쿼트를 한 번 하고 굿모닝을 한 번 해줘. 스쿼트를 할 때는
허벅지 앞쪽에 자극이 가고, 굿모닝을 할 때는 허벅지 뒤쪽에
자극이 간다. 굿모닝은 뒷사람에게 엉덩이 자랑~

숨어 있는 군것질 잡는 식단 체크

하루 동안 먹은 것들을 일주일 정도 기록해보자.
초콜릿 한 조각, 과일 한 쪽 모두 적는 거야!
티끌 모아 태산이라고, 먹었다고 생각도 안 하는 군것질들이
식단 사이사이 숨어 있을 수 있어. 모두 잡아내자!

오늘은 쉬는 날!

오늘은 운동을 쉬면서 나를 위한 옷 쇼핑을 해보자.
몸무게와 눈바디로 체크하던 거랑은 느낌이 또 다를 거야.
줄어든 사이즈를 즐기며, 내일도 힘내서 운동하자.

May

22

15개씩 3세트

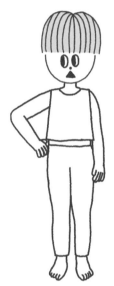

사이드 킥 점프

선 상태에서 점프를 하면서 한쪽 다리를 그대로 들어 올릴
거야. 발이 뒤집어지지 않도록 복숭아뼈가 하늘로 향하도록
다리를 들어 올렸다가 내려주면 돼.

May

23

10개씩 3세트

푸시업&토터치

엎드린 상태에서 완전히 바닥에 엎드렸다가 올라와서 한쪽 손으로 대각선에 있는 반대쪽 발을 터치해줘. 이때, 무릎은 펴고 어깨를 꾹 누르면서 진행해주면 돼. 손이 발에 안 닿으면 무릎이나 정강이!

May

24

10개씩 2세트

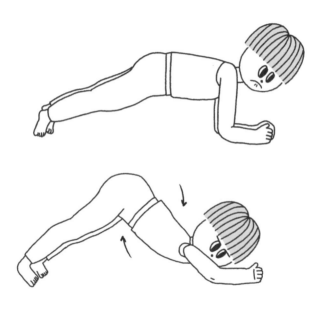

플랭크 파이크

플랭크 자세에서 엉덩이로 산을 만들면서 어깨를 뒤쪽으로 꾹
눌러줬다가 다시 플랭크 자세로 돌아오는 걸 반복해주면 돼.
플랭크 자세로 돌아왔을 때, 허리가 꺾이지 않도록 주의해줘.

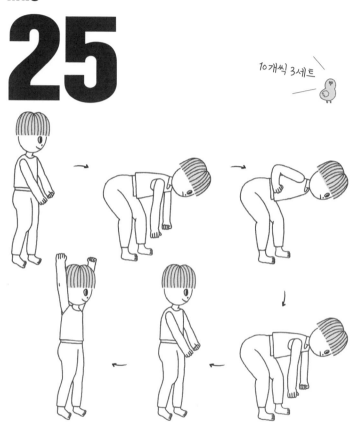

10개씩 3세트

데드리프트 로우&프레스

가슴을 편 상태에서 상체를 숙여 데드리프트를 한 채로
팔꿈치끼리 만나도록 뒤로 당겼다가 내려줘. 그대로 상체를
올라오고, 손을 몸 쪽으로 당겨서 머리 위로 들어 올려줘.

May

26

40초씩 3세트

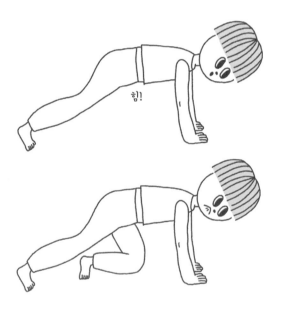

힘!

크로스 마운틴 클라이머

엎드린 상태에서 무릎을 대각선으로 번갈아 가면서 당겨주면 돼. 어깨가 뒤로 빠져서 엉덩이가 솟지 않도록 배에 힘을 준 채로 진행해줘.

운동은 언제하는 게 좋을까?

아침? 저녁? 식전? 식후?
운동을 언제 해야 좋을지 헷갈리지.
아침엔 유산소 운동이 좋아, 가벼운 스트레칭도!
몸을 풀어주는 느낌!
강도 높은 근력 운동은 몸이 풀린 오후가 좋아.
밥 먹고 30분 X, 2시간 이후를 추천해!

이제 곧 진짜 여름이다.
옷은 얇아졌는데 몸 준비는 다 됐니?
체지방은 빼고 건강은 채우고
여름으로 넘어갈 준비를 끝내보자.

May

29

50초씩 3세트

기지개 사이드밴드

깍지 낀 손을 머리 위로 올린 상태에서 몸을 쭉 늘려줘. 그 상태에서 상체가 앞으로 쏠리지 않게 주의하며 천천히 옆으로 숙여줘. 옆구리를 늘렸다가 돌아오면 돼.

May

30

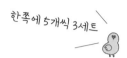
한쪽에 5개씩 3세트

일자 유지!

싱글레그 T

가슴을 펴고 선 상태에서 한쪽 다리를 뒤로, 양팔은 앞으로 쭉
뻗어주면서 중심을 잡아야 해! 몸이 최대한 일자가 되도록 하고
버티는 무릎은 살짝만 구부리고 배에 힘을 주고 진행해주면 돼.

왼쪽으로 오른쪽으로 비트는게 1회
20개씩 3세트

스쿼트 트위스트

팔을 앞으로 쭉 뻗은 상태에서 스쿼트를 하고, 일어나면서
팔을 등 뒤로 보낸다는 느낌으로 상체를 비틀어주면 돼.
스쿼트할 때는 무릎이 안으로 모이지 않도록 주의하면서 해줘.

June

애플힙 만들기

June
1

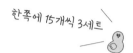

한쪽에 15개씩 3세트

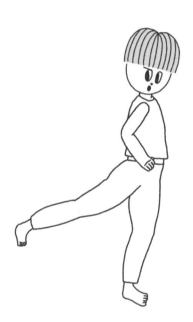

스탠딩 킥백

선 상태에서 한쪽 다리를 뒤로 보내줄 건데, 찬다는 느낌보다는 짜준다는 느낌으로 진행해줘. 허리가 꺾일 정도로 올리지 말고, 엉덩이에 자극이 갈 정도만 다리를 올려주면 돼.

June

2

20개씩 3세트

힙 스쿼트

고관절을 접는다는 느낌으로 엉덩이를 뒤로 쭉 빼면서 상체를
자연스럽게 숙여줘. 무릎 관절을 많이 사용하는 게 아니라,
엉덩이만 뒤로 쭉 밀었다가 돌아와준다는 느낌으로 해줘.

June

3

20개씩 3세트

브릿지

하늘을 보고 누워서 다리를 어깨너비로 벌리고 무릎을 세운
상태에서 엉덩이를 위로 들어 올렸다가 내리면 돼. 허리가
많이 꺾이지 않도록 몸이 일자가 될 때까지만 올려주는 거야.

15개씩 3세트

킥백

네발기기 자세에서 한쪽 다리를 펴며 그대로 위로 들어 올려
줘. 무릎이 닿기 전까지 내렸다가 다시 들어 올려주면 돼.
차지 않고 밀어 올린다는 느낌으로 진행해줘.

June

5

10개씩 3세트

(페이스 다운)레그리프트

완전히 엎드린 상태에서 상체는 가만히 두고 양쪽 다리를
들어 올렸다가 내려주면 돼. 허리가 아플 때까지 올리지
말고 그전까지만 지그시 올려줘.

June

6

엉덩이에 힘이 들어가지 않으면
엉덩이 기억상실증의 위험 신호!

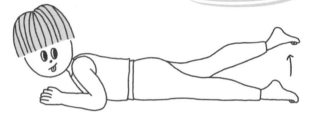

① 엎드린 상태에서 다리를 위로 올린다.
② 이때 엉덩이에 힘이 들어가는지 만져본다.

엉덩이도 기억상실증에 걸린다

오래 앉아 일하다 보면 엉덩이랑 허벅지 뒷근육 힘이
약해지는 걸 엉덩이 기억상실증이라고 해.
다른 말로 하면 대둔근·스트링 조절 장애라고도 하지.
엉덩이 기억상실증은 간단히 테스트할 수 있어.
테스트 따라 해보고 엉덩이 기억상실증 막는 엉덩이 운동을 해보자!

칭찬에 인색해지지 말자.
야식 참는 것도, 하루 한 동작씩 따라 하는 것도
아주 큰 노력이다.
애플힙까지 같이 가보자고!

June

8

백런지

한쪽 다리를 뒤로 보내며 앞다리 ㄱ, 뒷다리 ㄴ을 만들어주고,
제자리로 돌아오면서 호흡을 후! 하고 내뱉어줘.
처음에 중심이 잘 잡히지 않더라도 괜찮아! 꾸준히!!

June

9

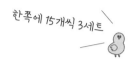

한쪽에 15개씩 3세트

스탠딩 사이드 킥

선 상태에서 한쪽 다리를 옆으로 그대로 들어 올릴 거야.
발이 뒤집어지지 않도록 복숭아뼈가 하늘로 향하도록 그대로
다리를 들어 올렸다가 내려주면 돼. 호흡은 올리면서 후!

June

10

20개씩 3세트

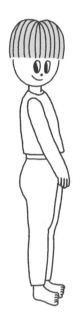

데드리프트

가슴을 편 상태에서 엉덩이를 뒤로 쭈욱 빼면서 상체를
숙여줘. 팔은 힘을 빼고 자연스럽게 밑으로 두면 돼.
엉덩이는 뒷사람한테 자랑~!

한쪽에 15개씩 3세트

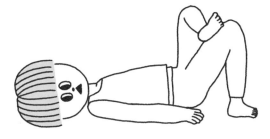

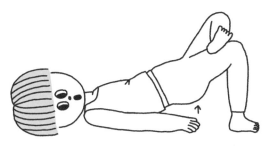

4자 브릿지

하늘을 보고 누운 상태에서 한쪽 발을 반대쪽 허벅지에 올려서
4자 모양을 만들어줘. 버티고 있는 다리의 엉덩이에 힘을 주면서
그대로 엉덩이를 들어 올렸다가 내리는 것을 반복해줘.

June

12

20개씩 3세트

점프!

드롭 점프 스쿼트

스쿼트했다가 일어나면서 다리를 모으며 점프해줘.
이어서 다시 점프하면서 스쿼트해줘. 무릎이 모아지지
않도록 주의하면서 스쿼트를 진행해주면 돼.

June

13

① 무릎 높이의 의자에 앉아
　한쪽 다리를 들고 반대쪽 다리의
　힘을 이용해 일어난다.
① 반복하며 가능한 횟수를 센다.

20대 25회 이상　　**30대** 20회 이상
40대 15회 이상　　**50대** 10회 이상
60대 5회 이상　　**70대** 2회 이상

내 엉덩이 근육은 몇 살?

내 엉덩이 근육의 나이는 몇 살인지 자가 테스트해보자.
엉덩이 근육 나이만 10살 많은 거 아니지?
원래 나이와 엉덩이 나이가 일치하지 않는다면
엉덩이에 힘 딱 주고 더 힘내서 따라가자!

오늘은 쉬는 날!

오늘은 사과 한 쪽 먹으면서 쉬자!
애플힙은 좋지만 애플은
당분이 높다는 거 기억해줘!

June

15

20개씩 3세트

크로스 런지

한쪽 다리를 대각선 뒤쪽으로 보내주면서 앉을 거야.
이때 엉덩이를 밖으로 밀고, 상체를 자연스럽게 숙여주면서
앉았다가 일어나주면 돼. 호흡은 일어나면서 후! 내뱉어줘.

June

16

15개씩 3세트

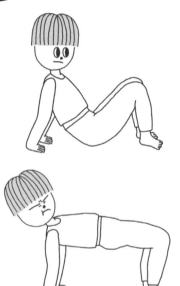

힙 쓰러스터

다리를 어깨너비로 벌리고 손끝이 몸 쪽을 향한 상태로 앉아
준비해줘. 그리고 몸이 ㄷ 모양이 되도록 그대로 들어 올려줘.
허리가 꺾일 때까지 올리지 말고, 몸이 일자가 될 때까지만 올려줘.

한쪽에 10개씩 2세트

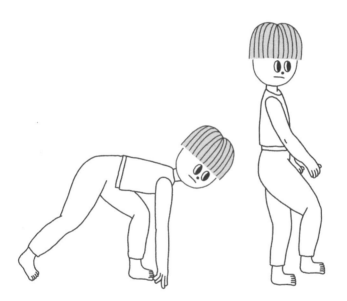

원레그 데드리프트

한쪽 다리를 뒤로 보내면서 손으로 바닥을 살짝 터치하고 그대로
돌아와줘. 상체는 가슴 편 상태에서, 엉덩이 뒤로 쭉 빼면서 그대로
숙여주면 돼. 돌아오면서 호흡을 후! 하고 내뱉어줘.

June

18

10개씩 3세트

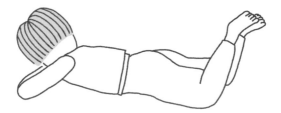

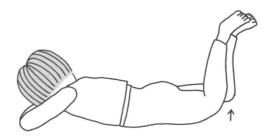

다이아 리프트

완전히 엎드린 상태에서 발꿈치끼리 떨어지지 않도록
최대한 붙이고, 그대로 발로 하늘을 찌른다는 느낌으로
들어 올려줘. 상체는 들지 말고 엎드린 채로 진행해줘.

June

19

한쪽에 10개씩 3세트

힙 어브덕션

네발기기 자세에서 무릎을 그대로 옆으로 들어 올려줘.
많이 올리지 않아도 되니까 무릎이 옆으로 올라간다는
느낌으로 진행해줘야 해. 버티는 다리도 아픈 게 맞아^^

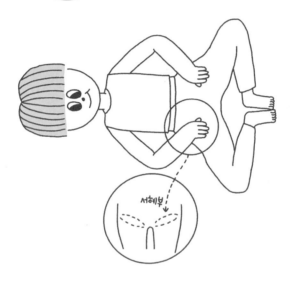

하체 부종 빼주는 마사지

엉덩이 운동 열심히 했으니 덤으로 하체 마사지해주자.
서혜부 주위에 맥박이 뛰는 곳을 찾아.
그리고 아래에서 위로! 아기 몸에 로션 바르듯이!
살살 원을 그리며 마사지해줘.

🔍 운동 동작을 검색해주세요. 🎤

오늘 운동 뭐 하지?

동작은 따라 하면서 운동 이름은 모르는 거 아니지?
내가 어떤 부위를, 어떤 운동을 하는지 알면 더 힘이 난다고!
이번 달은 운동 전에 이름을 검색해보고,
부위와 효과를 알고 동작을 따라 해봐!

June

22

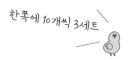

한쪽에 10개씩 3세트

데드리프트&사이드 킥

데드리프트하고 일어나면서 사이드 킥을 해줄 건데 사이드
킥을 할 때 발이 뒤집어지지 않도록! 복숭아뼈가 하늘로 향하
도록 그대로 다리를 옆으로 밀어 올려줘야해.

June

23

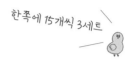

한쪽에 15개씩 3세트

45°

벤트오버 사이드 킥

가슴을 펴고 상체를 앞으로 45도 숙인 상태에서 한쪽 다리를
그대로 옆으로 들어 올리는 거야. 복숭아뼈가 하늘로 향하도록
들어 올려줘. 잘되면 발을 바닥에 닿지 않게 진행해봐.

한쪽에 10개씩 3세트

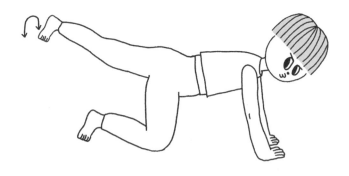

레인보우

네발 기기 자세에서 한쪽 다리를 들어 올리고 발끝으로 바깥쪽을
살짝 터치했다가 반원을 그리면서 반대쪽을 터치해줘. 빨리
진행하지 말고 엉덩이 자극을 느끼면서 천천히 무지개를 그려줘.

June

25

한쪽에 10개씩 3세트

백런지&킥백

한쪽 다리를 뒤로 보내면서 앉았다가 일어나면서 그 다리를
그대로 들어 올려서 엉덩이를 자극해주면 돼. 이때 찬다는
느낌보다는 그대로 들어 올린다고 생각하고 해주면 좋아.

June

26

한쪽에 10개씩 3세트

브릿지 레그리프트

누워서 엉덩이를 들어 올린 상태에서 한쪽 다리를 올렸다가 내렸다가를 반복해주면 돼. 빨리하지 말고, 천천히 자극 느끼면 서 진행해줘. 최대한 움직이는 발이 바닥이 닿지 않도록!

음료 대신 차

날이 더워지면 탄산이랑 이온 음료 당길 거야.
근데 음료는 당이 많이 들었어.
음료 대신 차를 차갑게 해서 마셔봐.

벌써 올해의 절반이 지났어.
하루하루 잘 따라오고 있지?
하반기 운동도 초록불이야.
또 열심히 달려보자!

June

29

20개씩 3세트

굿모닝

다리를 어깨너비로 벌리고 선 상태에서 엉덩이를 뒤로 쭉 빼면서
상체를 숙여줘. 등이 굽지 않도록 가슴을 편 상태에서 진행해줘.
상체를 90도 정도 숙였다가 천천히 그대로 올라와줘.

June

30

20개씩 2세트

스쿼트&크로스 런지

스쿼트를 하고 일어나면서 한쪽 다리를 뒤쪽 대각선으로
보내고 앉아주며 크로스 런지를 할 거야. 이때 상체는
자연스럽게 숙여주고 엉덩이를 밖으로 밀어주면서 진행해줘.

July

복부와 허벅지 라인 만들기

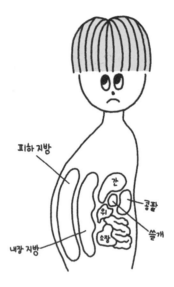

피하 지방

간

콩팥

위

쓸개

소장

내장 지방

내장 지방 체크 체크!

복부 지방은 피부 바로 밑에 자리한 피하 지방과
복강 아래 자리한 내장 지방으로 구분돼.
이 중 내장 지방은 장기 사이사이에 있어서 빼기가 더 어렵고 위험해.
인바디를 측정하면 1부터 20 레벨까지 구분해 알려주니
인바디 체크할 때 놓치지 말고 확인하자!

1~5 피하형 6~8 균형형 9~11 경계형 12~15 경도 내장 비만 16~20 고도 내장 비만

July

2

50초씩 3세트

니킥

팔을 앞으로 포갠 상태에서 상체를 웅크리면서 한쪽 무릎을
올려줄 거야. 그냥 아무 느낌 없이 하는 게 아니라 상하체를
웅크리면서 배를 조여준다는 느낌으로 해줘.

July

3

노래 한 곡 틀어놓고
끝날 때까지 도전!

후!

싯업&펀치

무릎을 세우고 누운 상태에서 복부 힘을 이용해 상체를 들어
올리며 대각선으로 펀치를 한쪽씩 날려줘. 복부를 쭉 늘려준
다는 느낌으로 팔을 뻗어주면 돼. 올라오면서 후!

July

4

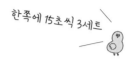

한쪽에 15초씩 3세트

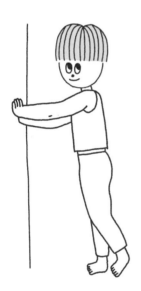

햄스트링 컬

뒤꿈치로 엉덩이를 찬다는 느낌으로 한쪽 다리를 뒤로 접어서
들어 올려줄 건데, 빠르게 하면 안 되고, 천천히 진행해줘야 해.
벽이나 의자를 잡고 진행해주면 좋아.

July

5

50초씩 3세트

사이드 니업

한쪽 팔을 위로 쭉 뻗은 상태에서 팔을 당기면서 같은 쪽
무릎을 옆으로 올려주면 돼. 옆구리를 조여준다는 느낌! 처음
자세로 돌아갈 때는 위로 쭉 몸을 뽑아준다는 느낌으로 해줘.

July

6

20번씩 2세트

허리 조심!

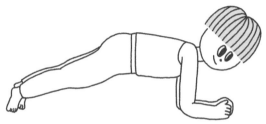

플랭크 킥백

플랭크한 상태에서 한쪽 다리씩 위로 그대로 들어 올려줘.
허리가 꺾일 정도로 올리면 안 되고, 엉덩이에 자극이 갈 정도로
만 들어 올려주면 돼. 배에 힘을 준 상태에서 진행해줘.

맛집 기록 아닌 식단 기록!

매일 뭐 먹었는지 글로 적기 귀찮다면 사진으로 찍어봐.
SNS에 올려도 좋고, 요즘은 운동,
식단 기록 앱도 많으니 활용하면 아주 좋아!
뱃살 나오는 음식만 먹진 않았는지 되돌아보자.

더워서 걷기 지치는 날에는 자전거로 기분 전환해봐.
열심히 밟을수록 허벅지 운동도 되고,
시원한 바람을 맞을 수 있어!
우리 기분 좋게 운동하자!

July

9

10개씩 3세트

부메랑

다리를 어깨너비보다 훨씬 넓게 벌리고 서고, 엉덩이를 뒤로
쭉 보내면서 상체를 앞으로 숙여줘. 그리고 팔을 귀 옆까지
올려줄 거야. 상체 일어나면서 팔도 제자리로 돌아와주면 돼.

July

10

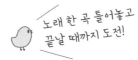

노래 한 곡 틀어놓고
끝날 때까지 도전!

니터치

팔을 앞으로 포갠 상태에서 한쪽 무릎을 올려 팔을 터치해줘.
이때, 뱃살을 조여준다는 느낌으로 팔이 아니라 무릎이 올라
가기! 상체를 살짝 숙이면서 자극을 더 깊이 줘봐!

한쪽에 10번씩 3세트

원레그 브릿지

누워서 한쪽 무릎은 세우고, 한쪽 다리는 위로 쭉 뻗어줘. 뻗은
다리는 계속 유지를 하고, 발로 하늘을 찌른다는 느낌으로 올려
주면 돼. 엉덩이를 바닥에 닿기 전까지 내렸다가 다시 올려줘.

July

12

15개씩 3세트

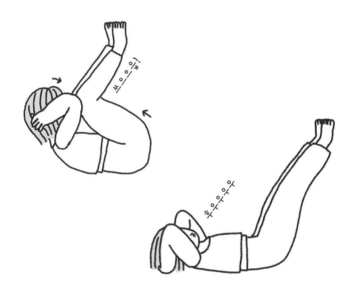

으으으음!

으아아아악

더블 크런치

하늘을 보고 누워서 팔꿈치로 무릎을 안는다는 느낌으로 복부에
힘을 주며 상체와 하체를 동시에 말아줘. 말았다가 허리가 뜨기
전까지만 다시 펴는 거야. 상하체가 같이 움직여줘야 해.

왼쪽으로 오른쪽으로 비트는 게 1회!
10개씩 3세트

스쿼트 트위스트

팔을 앞으로 쭉 뻗은 상태에서 스쿼트를 하고 일어나면서
팔을 등 뒤로 보낸다는 느낌으로 상체를 비틀어주면 돼.
스쿼트할 때는 무릎이 안으로 모이지 않도록 주의해줘.

지방 줄이는 식후 산책

밥 먹고 바로 앉으면 내장 지방이 잘 축적돼.
식후 20분만 걸어도 지방으로 바뀌는 포도당의 양을
대폭 줄일 수 있으니 산책 잊지 말자!

복근 테스트

동작은 되는 것 같은데 내 복근에 힘이 생긴 건지 잘 모르겠지.
간단한 테스트로 복근 상태를 체크해보자.
손이 ①까지 올라온 상태로 버티면 복근이 약한 상태야.
②까지 오면 보통, ③까지 오면 건강한 상태!
다들 힘내서 ③까지 가보자고!

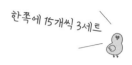

한쪽에 15개씩 3세트

스탠딩 사이드 킥

선 상태에서 한쪽 다리를 옆으로 그대로 들어 올릴 거야.
발이 뒤집어지지 않도록 복숭아뼈가 하늘로 향하도록 그대
로 다리를 들어 올렸다가 내려주면 돼. 호흡은 올리면서 후!

July

17

10개씩 3세트

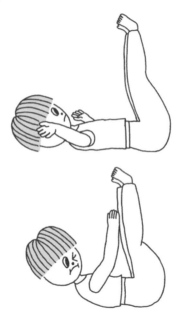

토터치

누운 상태에서 다리를 위로 쭉 들어 올려서 몸을 ㄴ자로 만들어주고,
양팔은 옆으로 벌려서 준비! 다리는 고정한 상태에서 상체를 들어
올려 양손으로 발끝을 터치해준다는 느낌으로 진행해줘!

July

18

한쪽에 10개씩 3세트

짧게 짧게!

2단 킥백

네발 기기 자세에서 한쪽 다리를 그대로 뒤로 올려주면 돼.
그냥 올리는 게 아니라 올린 상태에서 두 번 짧게 올렸다
내렸다 해주고 완전히 내려오는 거야. 차지 말고 밀어!!

한쪽에 15개씩 3세트

사선 니업

몸을 대각선으로 선 상태에서 팔을 위로 쭉 올려서 몸을
늘려주고 한쪽 다리는 뒤로 보내줘. 그 상태에서 팔꿈치 사이에
무릎을 넣는다고 생각하고 몸을 말아주면서 복부를 자극해줘.

July

20

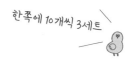

한쪽에 10개씩 3세트

하이런지

다리를 앞뒤로 넓게 벌리고, 상체는 꼿꼿하게 선 상태에서
진행해줄 거야. 앞쪽 다리는 무릎을 구부리고, 뒤쪽 다리는
최대한 편다는 느낌으로 아래로 내려갔다가 올라와줘.

오늘은 쉬는 날!

더운데 운동하느라 힘들었지.
오늘은 선풍기 앞에서 벗어나지 말자!

22

계획 되돌아보기

상반기를 시작하며 세운 운동 계획을 다시 한번 되돌아보자.
그동안 함께한 동작 중에 잘됐던 거, 어려웠던 거 정리해봐.
그리고 지킬 수 있는 것들로만 계획을 다시 채워줘!

왼쪽으로 오른쪽으로 보내는 게 1회!
7개씩 3세트

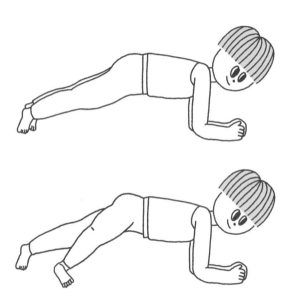

플랭크 사이드 레그리프트

플랭크를 한 상태에서 한쪽 다리를 상체 높이 정도로
들어 올려 옆으로 보내주면 돼. 많이 가지 않아도 되니까
갈 수 있을 만큼만 최대한 옆으로 보내줘.

July

24

40초씩 3세트

백익스텐션&로테이션

가슴을 편 상태에서 엉덩이를 뒤로 쭉 빼면서 상체를
숙여주고, 그 상태에서 상체를 비틀어 옆을 바라본 채로
천천히 올라와주면 돼. 이 동작은 천천히 진행해줘야 해.

July

25

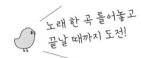

노래 한 곡 틀어놓고
끝날 때까지 도전!

트위스트 오블리크

양손은 주먹을 쥐고 귀엽고 수줍게 앞으로 모아줘. 그 상태에서
팔과 다리가 대각선이 되게 움직이면서 뱃살을 빨래 짜듯이
비틀어줘. 최대한 큰 가동 범위로 해주면 좋아.

15개씩 3세트

리버스 크런치

하늘을 보고 누워서 상체를 단단히 고정하고 진행해주는 게
좋아. 복부의 힘으로 무릎을 몸 쪽으로 당기고 다시 허리가
뜨기 전까지 다리를 내려주면 돼. 많이 내리지 않아도 돼!
호흡은 당기면서 후!

July

27

10개씩 3세트

로우&컬

가슴을 편 상태에서 상체를 45도 숙이고 팔꿈치끼리
만난다는 느낌으로 팔을 당겼다 내려줘. 그리고 일어나서
팔을 접어서 몸 쪽으로 당겼다 펴주는 동작을 반복해주면 돼.

28

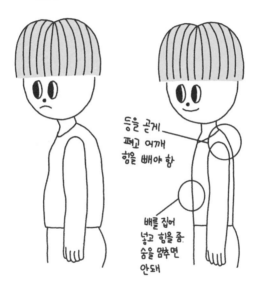

등을 곧게
펴고 어깨
힘을 빼야 함

배를 집어
넣고 힘을 줌.
숨을 멈추면
안돼

앉으나 서나 배에 힘 주기

의식적으로 배를 집어넣고 힘을 주고, 그 상태를 유지해보자.
등을 곧게 펴고, 어깨는 힘을 빼고, 숨을 멈추지 말아야 해!
한 번에 30초씩! 앉아 있을 때나 일어서 있을 때나
틈날 때마다 하면 점점 복근에 힘이 생길 거야.

야식증후군

야식증후군은 하루 식사량의 50% 이상을
오후 7시 이후에 섭취하는 걸 말해.
날이 더워지면 열대야 때문에 점점 늦게 자지!
야식 자주 먹으면 당연히 살이 더 쉽게 찌고,
피곤도도 높아지고 그런다. 건강 생각해서 야식! 잘 참아보자.

July

30

50초씩 3세트

엉덩이 주의!

크로스 마운틴&사이드 니턱

엎드린 상태에서 크로스로 무릎을 당기고 바로 이어서
무릎을 몸 밖으로 보내면서 팔꿈치 옆까지 당겨와줘.
엉덩이가 솟아오르지 않도록 주의하면서 진행해주면 돼.

July

31

 영상 틀어놓고 끝날
때까지 따라 하기!

오늘은 이거 해!

매일 한 동작씩 따라 해도 좋지만
지금까지 배운 동작들을 섞어서 따라 해줘도 효과가 좋아.
오늘은 삐죽삐죽 옆구리 살을 빼주는
트위스트 크로스와 크로스 니업을 함께해봐!

August

마른탄탄 슬림한 몸 만들기

한쪽에 7번씩 2세트

피라미드

다리를 앞뒤로 넓게 벌리고 서서 진행해줄 건데 앞쪽 발끝은
정면을, 뒤쪽 발끝은 옆을 보게 해줘. 그 상태에서 깍지를 끼고
아래로 내려갔다가 웨이브하듯이 올라와주면 돼. 천천히 진행해줘.

한쪽에 10번씩 3세트

오버헤드 사이드밴드

한쪽 팔은 아래로 뻗고 반대쪽 팔은 귀를 가린다는 느낌으로
대각선 위로 뻗으면서 옆구리를 쭉 늘려줄 거야. 많이 안 내려
가도 되니까 손이 앞으로 쏟아지지 않도록 해줘.

3

첫 번째 세트 10번, 두 번째 세트 7번,
세 번째 세트 5번

시작

동작 완성!

암워킹 웨이브 푸시업

손으로 바닥을 짚으며 네 번에 걸쳐 앞으로 가 몸을 펴준 뒤
완전히 바닥에 엎드렸다가 올라와줘. 그리고 손으로 다시
바닥을 짚으며 네 번에 걸쳐 돌아와 일어나서 만세를 해주면 돼.

한쪽에 12번씩 3세트

크로스 런지&사이드 킥

한쪽 다리를 대각선 뒤로 보내면서 상체를 자연스럽게 숙이고,
엉덩이를 바깥쪽으로 밀어줘. 일어나면서 뒤로 보낸 다리의
복숭아뼈가 하늘을 향하도록 그대로 옆으로 들어 올려주면 돼.

August

5

15번씩 3세트

반동!

땅 터치!

G2O

다리를 어깨너비보다 넓게 벌리고 서서 가슴을 편 상태로 엉덩이를
뒤로 쭉 빼면서 땅을 터치해줘. 일어나면서 손을 몸 쪽으로 끌어당겼
다가 그대로 위로 들어 올려줘. 순간적인 반동을 이용해 일어나!

August

6

오늘은 쉬는 날!

오늘만을 기다렸다!
오늘은 운동 여름휴가! 휴가를 즐기며 쉬어보자.

슬림탄탄한 몸의 최대 적! 셀룰라이트

셀룰라이트는 수분, 노폐물, 지방으로 구성된 물질이
특정 부위에 뭉쳐 있는 상태로 주로 팔뚝, 복부, 허벅지에 생겨.
살을 잡고 비틀어보면 피부 표면이 울퉁불퉁해보이지?
그게 바로 셀룰라이트야. 특히 여름에 반팔, 반바지를 입다 보면
신경 쓰이잖아. 셀룰라이트 없애주는 플랜 따라 해보자!

8

한쪽에 5번씩 3세트

버드 독

네발 기기 자세에서 한쪽 팔을 귀 옆까지 올리고, 반대쪽 다리를
뒤로 쭉 뻗으면서 중심을 잡아줘. 그리고 그대로 팔꿈치와 무릎이
닿는다는 느낌으로 웅크려줘. 허리가 너무 꺾이지 않도록 주의해줘!

August

9

10번씩 3세트

스모 데드리프트&로우 킥백

다리를 어깨너비의 두 배 정도로 넓게 벌리고 서서 가슴을
편 채로 여섯 가지 구분 동작으로 진행할 거야. ① 상체 숙이기,
② 팔꿈치 당기기, ③ 팔 펴기, ④ 팔 접기, ⑤ 팔 내리기, ⑥ 서기!

August

10

첫 번째 세트 10번, 두 번째 세트 7번,
세 번째 세트 5번

리버스 버피

선 상태로 준비하고, 앉으면서 그대로 뒤로 구르기를 한다고
생각하고 뒤로 넘어갔다가 돌아오면서 일어나주면 돼.
처음에 잘 안 일어나진다면 일어나기 직전까지만 해도 좋아.

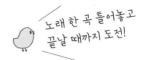

노래 한 곡 틀어놓고
끝날 때까지 도전!

고관절 돌리기

한쪽 무릎을 올린 상태에서 천천히 고관절을 돌려줘. 이때 몸이 너무 돌아가지 않도록 주의하면서 그대로 다리만 돌려줘.
너무 빨리하면 안 되고, 천천히 고관절의 움직임을 느끼면서 해줘.

August

12

20번씩 3세트

내로우 스쿼트

주먹 하나가 들어갈 정도로 다리를 벌리고 선 상태에서 엉덩이
를 뒤로 쭉 빼며 앉았다가 일어나줘. 무릎끼리 붙지 않도록
해줘! 상체가 꼿꼿하지 않고 자연스럽게 숙여지도록 해주기~!

시원함은 10분, 운동은 일주일

여름 되면 시원한 맥주 한 잔 생각나지.
치킨까지 같이 먹으면 완벽하잖아. 하지만 시원함은 잠깐이야.
먹고 나서 후회 안 할 자신 있는지 스스로에게
한 번 더 물어보고 결정하자.

물 충분 섭취량(12~74세/일)

남성

900mL 이상

여성

600~800mL

2L의 진실

하루에 물을 2L 먹어야 한다는 말 들어봤지?
하지만 이 섭취량은 물로 섭취하는 것 외에 과일, 채소로
섭취하는 것도 포함하는 거라서 실제로는 그것보다 덜 마셔도 돼.
무엇보다 물은 한 번에 많이 마시는 것보다 틈틈이 마셔주는 게 좋아!

15

첫 번째 세트 10번, 두 번째 세트 7번, 세 번째 세트 5번

레니게이드 로우

엎드린 상태에서 다섯 단계로 나눠서 진행해줘. ① 한쪽 팔 당기기, ② 반대쪽 팔 당기기, ③ 한쪽 다리 대각선으로 당기기, ④ 반대쪽 다리도 대각선으로 당기기, ⑤ 점프! 점프!

August

16

10개씩 3세트

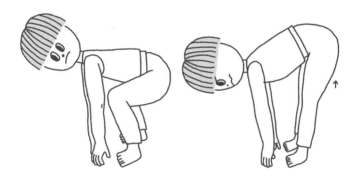

몽키 스쿼트

발끝을 잡은 상태에서 뒤로 살짝 앉았다가 엉덩이를 들면서
무릎을 쭉 펴줘. 허벅지 뒤쪽부터 종아리까지 자극이 가도록!
빠르게 펴지 말고 천천히 근육의 움직임을 느껴봐!

August

17

20개씩 3세트

와이드 스쿼트

다리를 어깨너비보다 넓게 벌린 상태에서 발끝은 바깥쪽을
보게 해주고, 무릎을 바깥쪽으로 벌리면서 앉아줘. 호흡은
일어나면서 후! 무릎이 안으로 모이지 않도록 주의해줘.

노래 한 곡 틀어놓고
끝날 때까지 도전!

플라이&만세 스텝

발은 뒤꿈치로 엉덩이를 찬다는 느낌으로 계속 움직여줘.
팔은 편 채로 머리 뒤로 쭉쭉 두 번 넘겨주고, 바로 이어서
옆으로 벌려 T자를 만들며 쭉쭉 두 번 보내줘.

August

19

40초씩 3세트

비스트리치

엎드린 상태에서 한쪽 무릎을 당겨줄 거야. 돌아갈 때는 몸을
뒤로 쭉 밀어내면서 앉아주는 느낌! 견갑골이 튀어나오지
않도록 등을 편평하게 만든 상태에서 진행해줘!

슬림한 몸 만들어놓고 휴가라고 긴장 푼 거 아니지?
휴가는 끝나도 운동은 끝이 없다!

시원한 묵사발 한 그릇 뚝딱~!

여름 하면 냉면이지만 칼로리가 걱정이지!
면 대신 묵으로 만들어 먹어봐.
묵을 먹기 좋게 썰고 김치 송송, 오이 송송 썰어 넣고
냉면 육수를 부어주면 돼!

August

22

20개씩 3세트

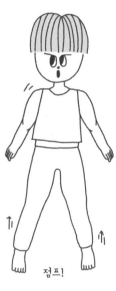

점프!

점프 스쿼트

다리를 어깨너비로 벌리고 서서 스쿼트했다가 일어나면서
점프하고 바로 또 스쿼트를 해줘. 착지할 때 무릎이 안으로
모아지지 않도록 주의해주고, 상체도 꼿꼿하지 않게!

August

23

50초씩 2세트

기지개 사이드밴드

깍지 낀 손을 머리 위로 올린 상태에서 몸을 쭉 늘려줘.
그 상태에서 상체가 앞으로 쏠리지 않게 주의하며 천천히
옆으로 숙여줘. 옆구리를 늘렸다가 돌아오면 돼.

August

24

10개씩 2세트

스파이더 런지

엎드린 상태에서 한쪽 발을 손 옆까지 가져온 뒤 골반을
바닥 쪽으로 꾸욱 눌러줘. 양쪽 번갈아 가면서 진행해주면 돼.
최대한 체중을 실어서 골반을 깊숙하게 늘려줘.

August

25

40초씩 3세트

크로스 런지 스텝 땅 짚기

상체는 인사하듯이 숙여주고, 엉덩이를 뒤로 쭉 빼면서 한쪽
다리를 뒤쪽 대각선으로 보내줘. 한 손은 바닥을 짚고, 한 손은
위로 쭉 올려줘. 점프하면서 반대쪽으로 이동해주면 돼.

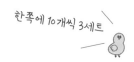

한쪽에 10개씩 3세트

런지&니업

한쪽 다리를 뒤로 보내서 살짝 앉았다가 일어나면서 뒤로
보낸 다리를 그대로 앞으로 가져와 무릎을 올려줘. 중심이
잘 안 잡힐 수 있으니까 최대한 중심 잡아보기! 할수록 늘어!

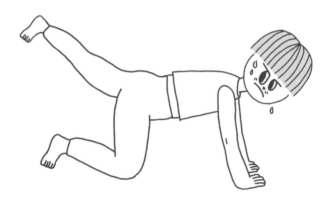

평소에도 땀을 많이 흘리면 살이 더 많이 빠질까?

우리가 평소에 흘리는 땀은 체온을 낮추기 위한 거라면
운동하면서 나는 땀은 신진대사가 활발해지면서 배출되는 거야.
그래도 땀은 땀일 뿐!
땀은 우리가 열심히 하고 있다는 걸 보여주는 거지,
많이 난다고 살이 더 빠지는 건 아니니 무리하지 말자!

제철 과일 찾아 먹기

다이어트할 때 샐러드 많이 먹는데 풀만 가득해서 질리잖아.
그럴 때는 제철 과일, 야채를 챙겨 먹으며 소소한 재미를 찾아봐.
여름에는 토마토, 블루베리, 복숭아 추천해!

August

29

40초씩 3세트

데드버그 털기

바닥에 등을 대고 누운 상태에서 양팔과 양다리를 위로 올려서
벌레가 뒤집어진 모양을 만들어줘. 좀 이상하긴 하지만
그 상태에서 팔다리에 힘을 빼고 와다다다 마구마구 털어줘.

August

30

15개씩 3세트

시작!

동작 완성!

슬로우 버피

한 손씩 바닥을 짚고 한 발씩 뒤로 보내서 엎드린
하이 플랭크 자세를 만들어줘. 그리고 다시 한 발씩
앞으로 돌아온 뒤 그대로 일어나서 만세!

August

31

20개씩 3세트

어퍼컷 스쿼트

다리를 어깨너비로 벌리고 선 상태에서 스쿼트를 하고
일어나면서 위쪽 대각선으로 펀치를 날려 몸통을 비틀어줘.
뒤꿈치가 떨어져도 좋으니까 최대한 비틀어줘. 배에 힘!!

September

옷빨 잘 받는 어깨 라인과 탄탄 허벅지 만들기

1

15개씩 3세트

벤트오버 레터럴레이즈

가슴을 편 상태에서 엉덩이를 뒤로 쭉 빼며 상체를 45도 숙여
줘. 등이 굽지 않도록 조심! 그 상태에서 양팔을 동시에 옆으로
올려줘. 어깨가 으쓱하지 않도록 주의해줘.

September

2

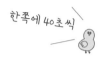
한쪽에 40초씩

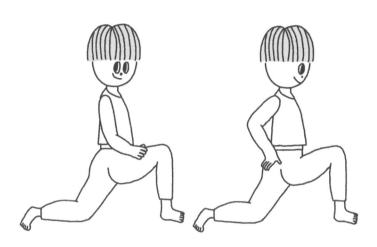

장요근 스트레칭

한쪽 무릎을 바닥에 대고, 반대쪽 발을 앞으로 보내서 바닥을
지지해줘. 발 사이 간격은 넓게 해준 상태에서 체중을
앞쪽으로 실어서 뒤로 뻗은 다리의 앞부분이 당기도록 해줘!

September

3

한쪽에 20개씩 3세트

라잉 사이드 킥

옆으로 누운 상태에서 한쪽 다리를 옆으로 들어 올렸다가
내려주면 끝! 그냥 올리지 말고 복숭아뼈가 하늘로 향하도록!
몸이 뒤집어지지 않도록 유지하면서 해주기.

20개씩 3세트

사이드 런지 고정

다리를 넓게 벌리고 선 상태에서 한쪽 무릎을 구부리면서
상체도 무릎을 구부린 방향으로 자연스럽게 숙여줘.
상체가 꼿꼿하면 무릎과 허리가 아파!

September

5

50초씩 3세트

프론트 레이즈

가슴을 펴고 선 상태에서 양팔을 앞으로 들어 올렸다가
내릴 건데, 어깨선상까지만 올리기! 하다 보면 어깨가
으쓱하게 될 수도 있으니까 최대한 귀와 어깨는 멀리!

6

① 한쪽 발바닥이 반대쪽 무릎에
   닿게 한다.
② 두 종아리가 직각이 되게 앉고,
   상체의 힘을 뺀다. 이때 골반이
   뜨는 쪽을 확인한다.

비대칭 테스트

열심히 운동해서 옷빨 잘 받는 몸을 만들었는데
몸이 비대칭이라면 서운하겠지.
간단한 테스트로 골반이 비대칭인지 확인해보자.
살을 빼는 것도 중요하지만 '잘' 빼는 게 정말 중요해!
자세 교정 잊지 말자!

September

7

만세 스쿼트 100개 챌린지!

혼자 운동하면 심심하고 지루하지.
이번 달은 일주일에 한 번씩! 같이 만세 스쿼트 챌린지 해보자.
옷태가 어떻게 변하는지 느껴봐.
운동 초보는 50개! 중상급자는 100개 해줘! 같이 달리자!

8

15개씩 3세트

앞뒤로 교차 스텝!

스텝 스쿼트

다리를 어깨너비로 벌리고 선 상태에서 앞뒤로 발을
교차하며 스텝을 밟아주고 바로 이어서 점프하면서 스쿼트!
스쿼트할 때는 무릎이 안으로 모아지지 않도록 주의!

September

9

40초씩 3세트

동그라미

팔을 뒤로 많이 보내준 상태에서 진행할 거야. 팔로 크게 동그라미를 그려준다고 생각해! 어깨 으쓱하지 않도록 힘 빼고 팔만 천천히 계속 움직여주면 돼. 팔을 뒤로 보내기!! 잊지 마.

September

10

30개씩 3세트

↕ 짧게 짧게!

와이드 펄스

다리를 어깨너비보다 넓게 벌린 상태에서 발끝은 바깥을 보고,
무릎을 바깥으로 벌리면서 앉은 상태에서 3cm 정도 위아래로
짧게 짧게 움직여줘! 무릎이 안으로 모이지 않도록 주의해줘.

September

11

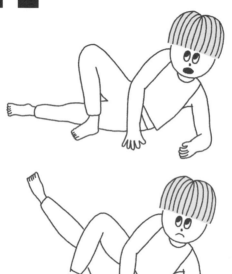

한쪽에 15개씩 3세트

이너타이킥

옆으로 누운 상태에서 한쪽 무릎을 세워 바닥을 지지해줘.
다른 다리는 쭉 뻗은 상태에서 그대로 안쪽으로 들어
올렸다가 내려줘!

September

12

40초씩 3세트

숄더 프레스

양팔을 옆으로 뻗고 직각을 만들어준 상태에서 머리 위로
두 손이 만난다는 느낌으로 팔을 올렸다가 내려줘.
내릴 때 팔이 90도 이상으로 내려가지 않도록 주의해줘.

집안일도 운동이다

옷태도 정리하고 옷장도 정리해야지. 집안일도 은근 운동 돼.
30분 기준 이불 개기는 57 칼로리를,
청소기 돌리기는 35 칼로리를 소비해.
움직이면 다 칼로리가 소비되니 가을맞이 집 청소해보자!

미니 단호박 에그슬럿

잘 씻은 미니 단호박을 전자레인지에
살짝 돌려 말랑해지면 뚜껑을 자르고 속을 파줘.
그 속에 계란을 넣어주고, 포크로 노른자를 콕 찔러줘!
여기에 치즈를 올려도 되는데 양심껏 올리자.
이제 소금, 후추를 취향껏 뿌리고 에어프라이어에 돌려주면 완성!

September

15

한쪽에 *15*개씩 *3*세트

원레그 바이시클

하늘을 보고 편하게 누운 상태에서 한쪽 무릎을 세워서
바닥을 지지하고, 반대쪽 다리는 자전거 타듯이 원을 그리면서
움직여줘.

September

16

20개씩 3세트

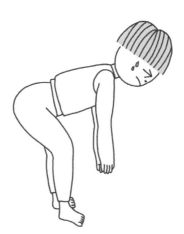

스티프 데드리프트

무릎 관절보다 고관절을 뒤로 밀면서 진행해줘. 발은 좁게
벌리고 선 상태에서 가슴을 펴고 엉덩이를 뒤로 쭉 빼면서
상체를 숙여줘! 일어나면서 호흡을 후!

September

17

한쪽에 15개씩 3세트

원레그 익스텐션

하늘을 보고 누운 상태에서 팔꿈치로 바닥을 지탱해서 상체를
살짝 들어 올려줘. 한쪽 무릎은 세운 뒤, 반대쪽 다리를 편 채로
그대로 들어 올렸다가 내려줘.

September

18

40초씩 3세트

허리 주의!

스카이 바이시클

하늘을 보고 편하게 누운 상태에서 자전거 타듯이 다리를
움직여줘. 허리가 뜨지 않도록 주의! 만약 허리가 뜬다면
다리를 더 몸 쪽으로 당겨서 움직여주면 돼.

September

19

40초씩 3세트

후!

아놀드 프레스

손등이 앞을 보도록 팔을 접고 선 상태로 준비 자세를 잡고
팔을 위로 올릴 거야. 올릴 때는 손등이 뒤를 보도록 반대로
돌리면서 올려줘. 올리면서 후!

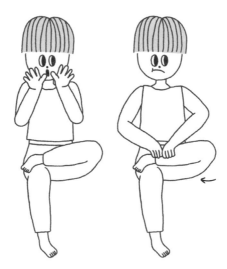

화난 종아리 진정시키기

옷 입다 보면 툭 튀어나온 종아리 알, 부은 종아리가 스트레스지.
종아리를 가운데, 안쪽, 바깥쪽 세 군데로
나눈다고 생각하고 마사지해주자.
엄지손가락을 겹친 상태에서 위에서 아래로 깊숙이 마사지해줘.
걷는 순간 바로 변화가 느껴질 거야!

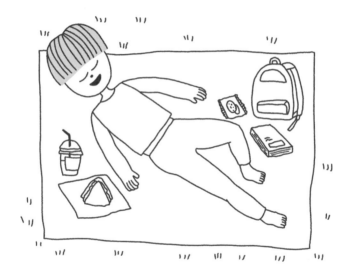

오늘은 쉬는 날!

햇볕은 따뜻하고 가을바람은 시원하고!
지금이 밖에서 놀기 딱이야.
돗자리 챙겨서 근처 공원에 가보자.
운동하는 사람들 보면서 의욕도 채우고!

September

22

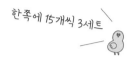
한쪽에 15개씩 3세트

스플릿 스쿼트

앞다리는 ㄱ, 뒷다리는 ㄴ 모양을 만들어주면서 앉을 건데,
이때, 상체는 수직으로 세운 상태! 밑으로 내려갔다가 내려간
모양 그대로 올라와주면 돼. 올라오면서 후! 호흡을 내뱉어줘.

September

23

10개씩 3세트

① ② ③ ④

데드 스쿼트

① 데드리프트, ② 스쿼트, ③ 데드리프트, ④ 천천히 업!을
반복해줘. 빠르게 하면 안 돼! 등이 굽어지지 않도록 가슴을
편 채로 진행해줘야 해! 무릎이 안으로 모이지 않게 주의!

September

24

30개씩 3세트

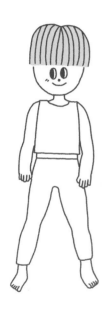

래터럴레이즈

가슴을 편 상태에서 양팔을 그대로 옆으로 들어 올려줄 거야.
이때 어깨가 으쓱하지 않도록 주의해줘야 해. 만약 으쓱하게
된다면 각도를 줄여서 올려줘.

September

25

한쪽에 40초씩

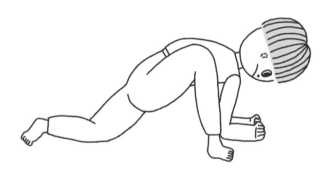

고관절 스트레칭

한쪽 무릎은 바닥에 대고 한쪽 무릎은 세워 앞뒤 간격을 넓게
벌리고, 앞쪽에 있는 무릎을 밖으로 보내면서 양쪽 팔꿈치를
바닥에 대줘.

September

26

50초씩 3세트

프론트&래터럴레이즈

가슴을 편 상태에서 한쪽 팔은 앞으로, 한쪽 팔은 옆으로,
양팔을 동시에 올렸다가 내려줘. 어깨가 으쓱하지 않도록
해줘! 어깨가 으쓱하면 팔을 조금 덜 올리면 돼!

활동적인 취미 갖기

홈트가 익숙해졌다면 밖에서 하는
활동적인 취미를 가져보는 건 어때?
스트레스도 풀리고 살도 빠지는 취미!
수영, 테니스, 서핑 등등 모두 좋아!

28

환절기 건강 조심!

환절기에는 면역력이 쉽게 저하될 수 있어.
특히 일교차가 커 감기에 걸리기도 쉽지.
건강이 제일 중요하잖아.
밖에서 운동한다면 항상 온도 체크하고 옷 챙기자!

September

29

20개씩 3세트

내로우 브릿지

하늘을 보고 누워 주먹 하나 들어갈 정도로 발을 좁게 벌리고
무릎을 세운 상태에서 엉덩이를 위로 들어 올려줘. 이때 허리가
많이 꺾이지 않도록! 몸이 일자가 될 때까지만 올려줘야 해.

치팅데이 ≠ 먹고 싶은 만큼 먹는 날

일주일에 한 번 정도 숨 좀 쉴 겸 치팅데이 많이 갖지?
치팅데이를 갖는 건 좋지만 먹고 싶은 만큼
먹는 날로 생각하면 안 돼.
평소에 먹던 것보다 30% 정도만 더 먹어야 해!
너무 많이 먹으면 역효과가 날 수 있으니 주의!

October

삐져나온 등살과 탄력 있는 가슴 라인 만들기

October

1

20개씩 3세트

플라이

양팔을 옆으로 뻗고 직각으로 접어 ㄴ 모양이 되도록
만들어준 상태에서 팔을 앞으로 모아줄 거야.
가슴을 조여준다는 느낌으로 모아줘.

October

2

15개씩 3세트

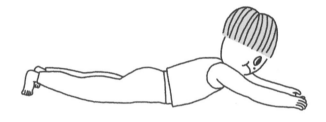

슈퍼맨

양팔을 머리 위로 쭉 펴고 엎드린 상태에서 팔다리를 동시에 들어
올려줘. 팔도 올릴 수 있을 만큼만 올려주고, 다리도 내가 올릴 수
있을 만큼만 올려주면 돼. 반동 말고 지그시 들어 올려줘야 해.

October

3

12개씩 3세트

코브라 푸시업

엎드린 상태에서 다리를 어깨너비로 벌리고, 발끝은 바깥을
보게 두고 진행할 거야. 가슴 옆에 손을 둔 상태에서 팔꿈치를
몸에 붙인다는 느낌으로 그대로 상체를 들어 올려줘.

October

4

바이비유비

손을 앞으로 모은 상태에서 팔꿈치끼리 뒤에서 만난다는 느낌
으로 뒤로 당겼다가 다시 앞으로 돌아와주면 돼. 뒤로 당기면서
가슴을 살짝 앞으로 내밀어주면 효과는 더 극대화!

틈틈이
하루 100개
채우기

W

팔을 머리 위로 뻗은 상태에서 W 모양을 만들면서 아래로
당겨줘. 날개뼈를 모아준다는 느낌으로 팔꿈치를 뒤로 보내
면서 당겨주면 돼. 당기면서 호흡을 후! 하고 내뱉어줘.

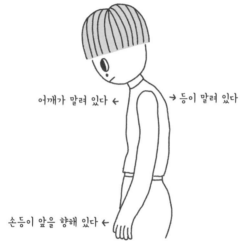

어깨가 말려 있다 ← → 등이 말려 있다

손등이 앞을 향해 있다 ←

굽은 등 테스트

책상에 오래 앉아 있다 보면 등이 굽지.
이 자세가 계속되면 등 근육을 약화시키고 심폐 기능도 떨어질 수 있어.
우선 거울 앞에 서서 손에 힘을 완전히 풀고 서봐.
이때 손등이 거울을 향해 있다면 등이 굽은 상태라는 거야.
간단히 확인 가능하니 꼭 체크해보자,

October

7

의자만 있다면

등과 가슴 운동 중에는 앉아서 할 수 있는 동작들이 많아.
꼭 시간 내서 해야 한다는 생각을 버리고,
의자만 있다면 앉아서 틈틈이 따라 해보자!

October

8

틈틈이
하루 100개
채우기

합장하고 뻗기(리치아웃)

손바닥끼리 맞대고 팔꿈치를 옆으로 벌려주는 게 준비 자세!
가슴 근육을 모아준다는 느낌으로 맞댄 손을 앞으로
쭉 뻗어줘.

October

9

30초씩 4세트

암련

다리를 앞뒤로 넓게 벌리고 선 상태에서 살짝 구부려
중심을 낮추고, 상체도 앞으로 살짝 기울여줘. 그 상태에서
직각으로 접은 팔을 최대한 크게 앞뒤로 흔들어줄 거야.

October

10

15개씩 3세트

슬라이딩 업다운

양쪽 팔꿈치를 붙인 상태에서 하늘을 찔러준다는 느낌으로
진행해줘. 팔이 많이 올라가지 않아도 되니까 팔꿈치를
최대한 붙인 상태에서 진행해주는 게 좋아.

20개씩 3세트

벤트오버 로우

상체를 45도로 숙인 상태에서 팔이 벌어지지 않도록 팔꿈치를
최대한 몸 쪽으로 붙이면서 뒤로 당겨줘. 내릴 때는 날개뼈를
뽑아준다는 느낌으로 최대한 팔을 쭈욱 내려줘! 당기면서 후!

October
12

40초씩 3세트

로우

팔을 앞으로 쭉 뻗은 상태에서 팔꿈치끼리 등 뒤에서
만난다고 생각하고 뒤로 보내줘. 어깨가 으쓱하지 않도록
귀와 어깨의 거리는 최대한 멀리 두고 진행해줘.

군것질 나눔 요정되기

다람쥐처럼 간식 숨겨놓고 먹는 건 아니지?
숨겨둔 군것질 있으면 탈탈 털어 주변에 나눠주자!
오늘의 나눔 요정이 되는 거야.

October

14

시선은 앞!

가슴과 등을 활짝!

발은 뒤꿈치부터 착지!

올바른 달리기 자세

운동화만 있으면 할 수 있는 달리기.
바로 시작할 수 있어서 날씨 풀리면 많이들 하지.
자세를 잘 잡고 시작하면 더 좋아.
자세 체크하고 달려보자!

October

15

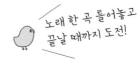
노래 한 곡 틀어놓고
끝날 때까지 도전!

쿵쿵따

손바닥을 맞대고 팔꿈치를 옆으로 벌려준 상태에서 한쪽
손바닥은 밀고, 반대쪽 손바닥은 버티는 느낌으로 진행해주는
거야. 밀리는 쪽은 버티고, 미는 쪽은 최대한 밀어주는 느낌!

October

16

40초씩 3세트

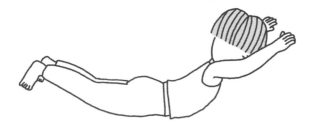

슈퍼맨 변형

양팔을 머리 위로 쭉 펴고 엎드린 상태에서 팔다리를 동시에
들어 올리고, 이어서 동시에 옆으로 벌려줘. 그리고 다시
모아서 내려와주면 돼! 천천히 진행해줘!

October

17

20개씩 3세트

스쿼트 펀치

다리를 어깨너비 정도로 벌리고 서서 대각선으로 펀치를 네 번 날리고, 스쿼트를 한 채로 앉아 또 펀치를 네 번 날려 줘. 스트레스가 풀릴 거야!!!

October

18

10개씩 2세트

순환 운동

머리 뒤로 깍지를 낀 상태에서 고개를 살짝 숙였다가 팔꿈치를
벌리면서 고개를 뒤로 쭉 젖혀줘. 턱으로 하늘을 찌른다는 느낌!
팔꿈치를 최대한 밖으로 벌려준다고 생각하고 천천히 진행해줘.

October
19

15개씩 3세트

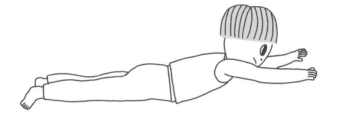

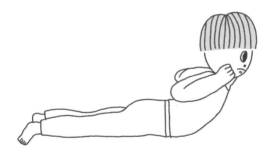

슈퍼맨 W

양팔을 머리 위로 쭉 펴고 엎드린 상태에서 상체를 들어 올려서
버티고, 팔을 당겨 W 모양을 만들어준 뒤 다시 팔을 펴 돌아가면
돼. 당길 때는 손이 떨어지지 않도록 최대한 위로 올려 당겨줘.

오늘은 쉬는 날!

가을인데 단풍을 놓칠 수 없지!
쉬는 날에 단풍 구경 가보자.
오늘은 케이블카 타도 봐준다.

손목 운동

손목이 약하면 바닥을 짚는 운동 동작을 할 때
통증이 있을 수 있어. 틈틈이 쥠쥠 해주며 손목을 강화해보자!
손을 쫙 펴고 손가락을 갈고리 모양으로 만들었다가
주먹을 쥐는 게 포인트야!

October

22

15개씩 3세트

일자 유지!

니 푸시업

무릎을 바닥에 대고 엎드린 상태에서 가슴 옆에 손을 두고
몸을 일자로 유지한 채로 팔을 구부려 내려갔다가 올라오면
돼. 처음엔 잘 안될 수도 있으니까 꾸준한 연습이 필요해.

October

23

40초씩 3세트

라잉 얼터네이트 로우

양팔을 머리 위로 쭉 펴고 엎드린 상태에서 다리는 넓게 벌려
준비해줘. 그대로 상체를 들어 올리고 한쪽 팔씩 번갈아 가면
서 당겨줄 거야. 상체를 올린 상태 유지하며 팔꿈치만 당겨줘.

October

24

40초씩 3세트

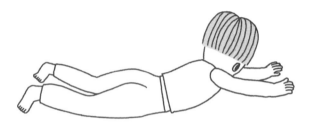

슈퍼맨 스위밍

양팔을 머리 위로 쭉 펴고 엎드린 상태에서 다리는 넓게 벌려
준비해줘. 그대로 상체를 들어 올리고 팔을 편 채로 한쪽씩
번갈아 가면서 옆으로 내려줄 거야. 상체 올린 상태 유지하기!

October

25

10개씩 3세트

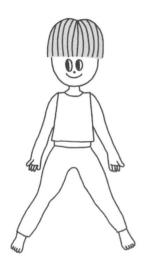

부메랑

다리를 어깨너비보다 훨씬 넓게 벌리고 서고, 엉덩이를 뒤로
쭉 보내면서 상체를 앞으로 숙여줘. 그리고 팔을 귀 옆까지
올려줄 거야. 상체 일어나면서 팔도 제자리로 돌아오면 돼.

October

26

팔 뻗어 밀기

양팔의 손바닥과 팔꿈치를 마주 대 기도하듯이 준비 자세를
잡아줘. 호흡을 내뱉으며 팔을 앞으로 쭉 뻗어주면 돼.
가슴을 모아준다는 느낌!

토마토달걀볶음

파랑 마늘을 썰어서 기름에 먼저 볶아줘.
파향이 진하게 난다 싶으면
계란 2~3개를 풀어 넣어 스크램블을 만들어주고,
토마토도 먹기 좋은 크기로 썰어 넣어 다 같이 볶아줘!
마지막에 소금, 후추로 간을 맞춰주면 완성!
건강식이니 너무 짜지 않게 간 조절하자!

볼록!

운동 욕구가 약해지면
몸에 붙는 옷을 입고 거울 앞에 서보자.
삐죽 튀어나온 등살이랑 볼록 나온 옆구리살이
강력한 자극이 될 거야!

October
29

40초씩 3세트

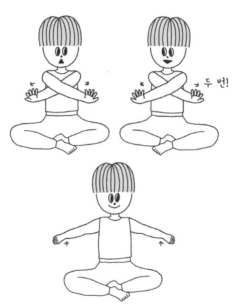

두 번!

쭉쭉이 크로스

팔을 쭉 펴고 앞으로 가져와서 두 손이 서로 교차하게
두 번 크로스하고 뒤로 쭉 보내주는 거야. 최대한 팔을 편
상태에서 진행해주면 돼. 어깨 으쓱하지 않도록 주의해줘.

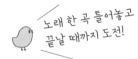

노래 한 곡 틀어놓고
끝날 때까지 도전!

로우 엉덩이 차기

발은 뒤꿈치로 엉덩이를 찬다고 생각하고 계속해서
움직여주고, 팔은 앞으로 쭉 뻗었다가 팔꿈치끼리 뒤에서
만난다는 느낌으로 뒤로 당겨주면 돼.

걸어서 만 보 채우기

맛집 대신 전시회장이나 박물관을 약속 장소로 잡아봐.
작품 구경하고 사진 찍고 열심히 돌아다니다 보면
만 보 금방이다. 지인도 만나고 운동도 되고 일석이조지!

November

쭉 뻗은 다리 라인과 엉짱 만들기

November

1

틈틈이
하루 50개
채우기

힙힌지

다리를 어깨너비로 벌리고 서서, 고관절을 접어준다는
느낌으로 진행해줘. 엉덩이를 최대한 늘려준다는 느낌으로!
스쿼트와 데드리프트의 중간 단계라고 생각하면 돼!

November

2

20개씩 3세트

힙런지

한쪽 다리를 뒤로 보내면서 상체를 숙여주면 돼. 앞쪽
엉덩이에 자극을 주는 거야! 앞쪽 엉덩이에 집중하고
뒤로 보내는 다리에는 체중을 많이 싣지 마.

20개씩 3세트

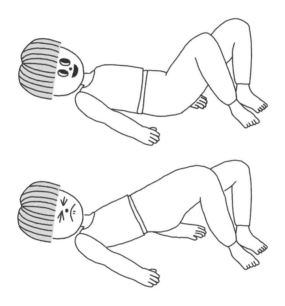

다이아몬드 브릿지

하늘을 보고 누운 상태에서 뒤꿈치끼리 맞대서 발을
V 모양으로 만들어줘. 그 상태에서 몸이 일자가 될 때까지만
엉덩이를 들어 올렸다가 땅에 닿기 전까지 내려줘.

4

20개씩 3세트

힙 스쿼트

고관절을 접는다는 느낌으로 엉덩이를 뒤로 쭉 빼면서 상체를
자연스럽게 숙여줘. 무릎 관절을 많이 사용하는 게 아니라
엉덩이만 뒤로 쭉 밀었다가 돌아와준다는 느낌으로 해줘.

November

5

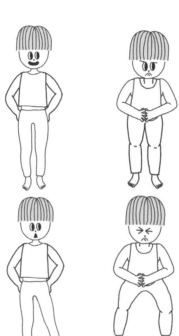

50초씩 3세트

내로우 스탠다드 사이드 스쿼트

다리를 주먹 하나 들어갈 정도로 좁게 벌리고 스쿼트하고,
이어서 다리를 옆으로 어깨너비 정도 벌려서 스쿼트하는
걸 반복해줘. 양쪽으로 번갈아 가면서 벌리며 진행해주면 돼.
하면서 무릎이 모이지 않게 주의해줘.

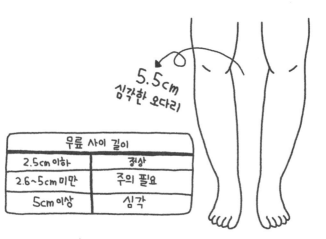

5.5cm
심각한 오다리

무릎 사이 길이	
2.5cm 이하	정상
2.6~5cm 미만	주의 필요
5cm 이상	심각

일자 다리? 오 다리?

바지를 입다 보면 일자 다리인지,
오 다리인지 신경 쓰일 때 있지?
오 다리는 무릎 사이의 길이를 재보면 바로 알 수 있어.
체크해보고 쭉 뻗은 다리 라인을 향해 달려보자!

살면서 제일 편안하고 가벼웠던 몸무게가 몇 kg이었어?
그 숫자를 기억해보자. 움직임이 편했던 그 숫자!
그 숫자가 될 때까지 계속 운동하는 거야.

8

10개씩 3세트

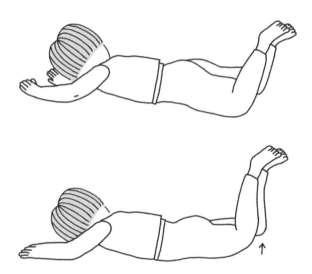

(페이스다운)다이아 리프트

엎드린 상태에서 뒤꿈치끼리 붙여줘. 상체는 들지 말고
내린 채로 뒤꿈치가 떨어지지 않도록 주의하면서 그대로
발을 들어 올려줘. 발로 하늘을 찌른다는 느낌!

20개씩 3세트

점프!

바스켓볼 점프

다리를 어깨너비보다 넓게 벌리고 선 상태에서 가슴을
편 채로 땅을 찍으며 앉았다가 점프! 많이 앉지 말고,
엉덩이를 뒷사람에게 자랑하듯이 내려갔다가 올라오면 돼.

10

12개씩 3세트

브릿지 어브덕터

하늘을 보고 누워 다리를 어깨너비보다 넓게 벌리고 몸이
일자가 될 때까지 엉덩이를 올려줘. 그 상태에서 무릎을
바깥쪽으로 벌렸다가 다시 모아주는 동작을 반복해줘.

November

11

15개씩 3세트

스모 데드리프트

다리를 어깨너비 두 배로 넓게 벌리고 발끝이 바깥쪽을
향하게 서줘. 그대로 무릎을 바깥쪽으로 벌리면서 상체를
숙여 데드리프트하고 올라와줘.

November

12

50초씩 3세트

스쿼트 백런지

스쿼트를 하고 일어난 뒤, 바로 이어서 한쪽 다리를 뒤로
보내주는 백런지를 해줘. 스쿼트할 때든 백런지할 때든
무릎이 안으로 모이지 않게 주의하기!

침대 위에서도 운동!

쉴 때 침대에 누워만 있으면 안 된다.
핸드폰 하면서, TV 보면서 다리를 열심히 움직여보자!

뜨끈뜨끈한 샤브샤브

겨울에는 역시 국물이지. 대파랑 양파, 무 등을 넣고 육수를 끓여줘.
마트에서 파는 육수용 팩이나 칼국수 라면 스프도 추천해!
그리고 숙주, 배추, 버섯 등등 좋아하는 야채를 깨끗이 씻어서
익혀 먹기만 하면 돼. 소고기랑 같이 먹으면 더 맛있다.
대신 죽, 수제비, 칼국수는 금지!

한쪽에 15개씩 3세트

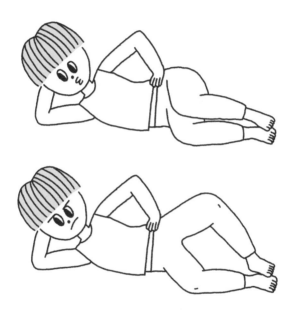

클램쉘

옆으로 누워서 양발을 서로 붙여줘. 그 상태에서 발 날이
서로 떨어지지 않도록 누르는 느낌으로 힘을 주면서 위에
있는 무릎을 벌려줘! 골반이 틀어지지 않도록!

November

16

20개씩 3세트

점프!

와이드 점프 스쿼트

다리를 모은 상태에서 준비 자세! 다리를 넓게 벌리고, 발끝과
무릎이 바깥으로 향하는 와이드 스쿼트를 점프하면서 앉았다
가 다시 점프하면서 돌아올 거야.

November

17

한쪽에 15개씩 3세트

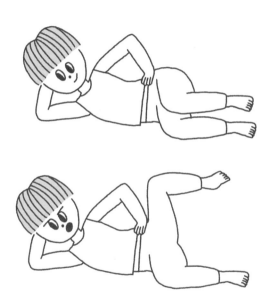

라잉 힙 어브덕션

옆으로 누운 상태에서 몸이 일자가 되게 정렬한 후에 무릎을
90도로 접어주고, 한쪽 무릎을 그대로 옆으로 들어 올려줘.
이때 골반이 뒤로 빠지거나 틀어지지 않도록 몸을 일자로 유지!

November

18

20개씩 3세트

고정 힙런지

한쪽 다리를 뒤로 보내면서 상체를 숙여주면 돼. 앞쪽
엉덩이에 자극을 주는 거야! 앞쪽 엉덩이에 집중하고
뒤로 보내는 다리에는 많은 체중을 싣지 마.

November

19

10개씩 3세트

힙 쓰러스터

다리를 어깨너비로 벌리고 손끝이 몸 쪽을 향한 상태로 앉아
준비해줘. 그리고 몸이 ㄷ 모양이 되도록 그대로 들어 올려줘.
허리가 꺾일 때까지 올리지 말고, 몸이 일자가 될 때까지만 올려줘.

툭 튀어나온 앞벅지

옆으로 섰을 때 앞쪽 허벅지만 툭 튀어나오면 은근 신경 쓰이지.
이번 달은 앉기 전에 앞벅지 스트레칭을 해주자.
발을 잡고 뒤꿈치가 엉덩이에 닿는다는 느낌으로 잡아당겨주면 돼!
한쪽에 15초씩 해보자!

겨울에는 방어!

외식하고 싶은데 치킨은 튀김이라,
파스타는 탄수화물이라 못 먹겠지.
그럴 땐 단백질이 풍부한 회를 추천해.
특히 겨울에는 방어가 제철이야.
대신 초장 막 찍어 먹고, 매운탕까지 먹으면 안 된다!

November

22

10개씩 3세트

내로우 스쿼트&데드리프트

다리를 주먹 하나 들어갈 정도로 벌리고 선 상태에서 앉았다가
일어나는 내로우 스쿼트를 한 뒤, 바로 이어서 가슴을 편 채로
엉덩이를 뒤로 쭉 빼는 데드리프트를 해줘.

한쪽에 15개씩 3세트

킥백

네발기기 자세에서 한쪽 다리를 펴며 그대로 위로 들어
올려줘. 무릎이 닿기 전까지 내렸다가 다시 들어 올려주면
돼. 차지 않고 밀어 올린다는 느낌으로 진행해줘.

November

24

20개씩 3세트

스쿼트&사이드 킥

스쿼트하고 일어나면서 사이드 킥을 해줄 건데 사이드 킥을 할 때 발이 뒤집어지지 않도록 주의해줘. 복숭아뼈가 하늘로 가도록 차지 말고 그대로 다리를 옆으로 밀어 올려줘야 해.

November

25

20개씩 3세트

스쿼트 제기차기

스쿼트를 하고 일어나면서 한쪽 다리를 안으로 올리고, 손으로
발의 안쪽을 터치해주면 돼. 손이 내려가는 게 아니라 발이
올라오는 거야! 양쪽 발을 터치하고 다시 스쿼트를 해주면 돼.

한쪽에 15개씩 3세트

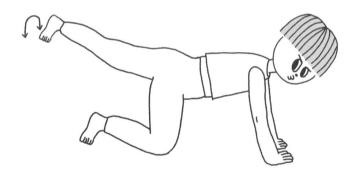

레인보우

네발 기기 자세에서 한쪽 다리를 들어 올리고 발끝으로 바깥쪽을
살짝 터치했다가 반원을 그리면서 반대쪽을 터치해줘. 빨리
진행하지 말고 엉덩이 자극을 느끼면서 천천히 무지개를 그려줘.

27

기다릴 때도 헛둘! 헛둘!

이제 슬슬 날씨도 추워지는데 친구 기다릴 때, 버스 기다릴 때!
가만히 서 있지 말고 슬쩍슬쩍 까치발을 들어보자.
까치발 올리면서 엉덩이에 힘을 주는 거야!

오늘은 쉬는 날!

동물들 겨울잠 자듯, 알람 없이 늦잠 자보자.
운동하느라 방전된 우리도 겨울잠으로 에너지 충전!

29

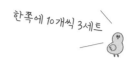

한쪽에 10개씩 3세트

쉬운 원레그 데드리프트

가슴을 편 상태에서 한쪽 다리를 뒤로 보내면서 상체를
90도로 숙여줘. 엉덩이를 뒤로 쭉 빼면서 엉덩이 앞쪽
자극을 느끼며 돌아와줘.

한쪽에 15개씩 3세트

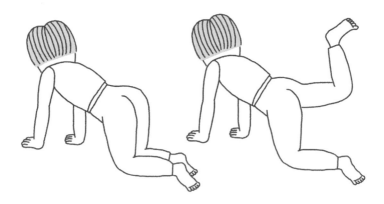

덩키킥

네발 기기 자세에서 한쪽 다리를 뒤로 올렸다가 내려줘.
다리는 90도로 접은 상태 그대로 올렸다가 바닥에 닿기
전까지만 내려주면 돼. 허리가 꺾일 때까지 올리지 말기!

December

심장 튼튼 심폐지구력 키우기

December

1

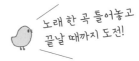

노래 한 곡 틀어놓고
끝날 때까지 도전!

팔 돌리며 걷기(밖으로)

계속해서 걸어줘! 걷는 상태 유지하면서 한쪽 팔씩 번갈아
가며 바깥쪽으로 돌려줘. 천천히 팔을 돌리면서 굽어 있는
어깨를 펴준다는 느낌으로~~!!

December

2

50초씩 3세트

니업 사이드 킥

선 상태에서 한쪽 무릎을 앞으로 들어 올렸다가 내리고, 바로
이어서 같은 다리를 쭉 편 상태로 옆으로 들어 올렸다가 내려
줘. 다리를 옆으로 올릴 때는 복숭아뼈가 하늘을 향하도록 해줘.

December

3

15개씩 3세트

스모 데드리프트

다리를 어깨너비의 두 배로 넓게 벌리고 발끝이 바깥쪽을
향하게 서줘. 그대로 무릎을 바깥쪽으로 벌리면서 상체를
숙여 데드리프트하고 올라와줘.

December

4

50초씩 3세트

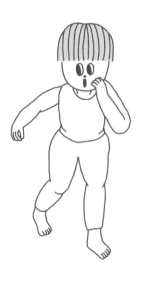

백런지 점프

한쪽 다리를 뒤로 보내면서 앉은 다음 일어나면서 점프를
해줄 거야. 이때 뒤로 보낸 무릎을 앞으로 올리면서 점프해
주는 거야. 양쪽 다리를 번갈아 가면서 해줘.

December

5

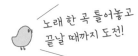
노래 한 곡 틀어놓고
끝날 때까지 도전!

사이드 우드촙

손깍지를 낀 채로 팔을 앞으로 쭉 뻗고, 옆으로 스텝을
옮겨가면서 뭔가를 벤다는 느낌으로 양옆으로 스윙을 해줘.
복부에 힘을 주고 스윙해주면 효과가 더 좋아.

폐활량 테스트

운동하다 보면 심장이 빨리 뛰고, 숨이 차지.
폐활량이 떨어지면 기초 체력을 키우기도 전에 금방 지쳐버리게 돼.
풍선을 가지고 지금 내 폐활량은 어느 정도인지 체크해보자.
숨을 크게 들이마시고 코를 막은 채 풍선을 불어 그 크기를
재보면 돼! 남성은 평균 15~20cm, 여성은 13~18cm야.

7

붕어빵 대신 통장으로

겨울 되면 붕어빵 먹는다고
현금 삼천 원씩 가슴에 품고 다니잖아.
붕어빵 대신 통장에 넣어주자.
겨울 동안 모아서 봄에 새 운동화 사는 데 보태보자!

December

8

첫 번째 세트 10개, 두 번째 세트 7개,
세 번째 세트 5개

시작!

동작 완성!

풀버피

손으로 바닥을 짚고 양발은 뒤로 점프해서 엎드린 자세를
만든 뒤 바닥에 완전히 엎드렸다가 다시 푸시업하고 올라와
줘. 그리고 다시 점프해서 돌아와 일어나서 만세해주면 돼!

December

9

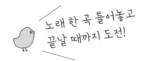

노래 한 곡 틀어놓고
끝날 때까지 도전!

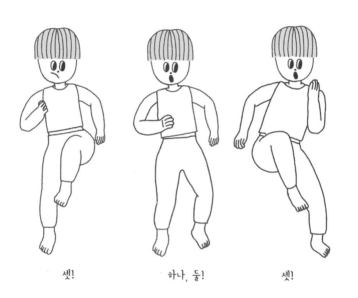

셋!   하나, 둘!   셋!

중심 잡기 런

스텝을 세 번 밟으며 오른쪽, 왼쪽 번갈아 가면서 이동할 거야.
발을 두 번 구르며 움직이고 세 번째에 무릎을 올리면서 잠깐
중심을 잡아줘. 그리고 또 하나, 둘, 셋 스텝을 밟으며 반대쪽으로
움직이면 돼.

December

10

40초씩 4세트

크로스 사이드 킥

귀 옆에 손을 두고 가슴을 편 상태에서 상체를 45도 숙여줘.
한쪽 다리를 뒤쪽 대각선으로 보내면서 살짝 앉았다가 일어나면서
그 다리를 그대로 옆으로 들어 올리며 중심을 잡아줘.

December

50초씩 3세트

스케이트 점프

한쪽 다리를 뒤쪽 대각선으로 보내면서 엉덩이는 바깥으로
밀고 상체를 자연스럽게 숙여줘. 마치 스케이트를 타듯이
해주면 돼. 허리가 꼿꼿하지 않게 꼭 숙여줘!

December

12

10개씩 3세트

플랭크 로우

엎드린 상태에서 한쪽 팔씩 팔꿈치를 몸 쪽으로 붙이며 뒤로
쭉 당겨주면 돼. 팔꿈치가 떨어지지 않도록 날개뼈에 붙인다고
생각하고 당겨줘. 허리도 꺾이지 않도록!

13

버티고 버티고 버티기

기초 체력에는 근력, 순발력, 유연성, 평형성 등이 있어.
간단한 동작으로 근력부터 평형성까지 길러보자.
가슴에 손을 올리고 한쪽 다리를 들고 버텨봐.
버티는 다리는 살짝 구부려주는 게 좋아.
버티는 시간을 점점 늘리면 퀘스트 깨는 재미까지 느낄 수 있지.
익숙해지면 눈 감고도 해보기!

하루 한 줌 견과류

견과류는 지방을 많이 함유하고 있지만
대부분이 불포화 지방산이어서 콜레스테롤 억제에 도움이 돼.
또 식이섬유도 풍부하지. 대신 뭐든 과하면 안 된다.
호두, 아몬드, 땅콩 등등 하루에 한 줌 정도만 먹는 거야!

December

15

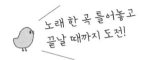

노래 한 곡 틀어놓고
끝날 때까지 도전!

인사이드 터치

선 상태에서 한쪽 발을 제기차듯 올리고, 반대쪽 손으로
올린 발의 안쪽을 터치해줄 거야. 손이 내려가는 게 아니라
발을 최대한 올려서 허벅지 안쪽을 자극해줘.

December

16

30초씩 4세트

점핑잭

다리는 양옆으로 벌렸다가 모으면서 점프를 계속해주고,
팔은 쭉 뻗은 채로 머리 위로 올렸다가 내리는 것을 반복해
줘. 무릎이 안으로 모아지지 않게 해주면 좋아.

December

17

노래 한 곡 틀어놓고
끝날 때까지 도전!

크로스 날갯짓

한쪽 다리를 뒤쪽 대각선으로 보내면서 팔도 뒤쪽으로
쭉쭉 펴줘. 그리고 다리 돌아올 때 팔도 앞으로 가져오면 돼.
왼쪽 오른쪽 동일하게 해주면 돼.

December

18

10개씩 3세트

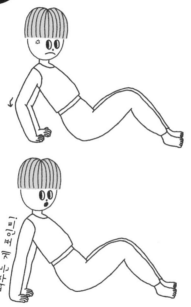

펴주는게 포인트!

딥스

무릎을 세우고 앉아 손끝이 몸 쪽을 보게 한 상태에서 팔꿈치를 구부렸다가 펴줘. 펴주면서 호흡을 후! 구부리는 것보다 쭉 펴주는 게 포인트니까 쭉 짜준다는 느낌으로 펴줘.

December

19

40초씩 3세트

x 2
두 번 점프!

크로스 스텝 크로스 니업

발이 서로 교차되도록 크로스로 두 번 점프하고, 무릎과
팔꿈치가 대각선으로 만나도록 무릎을 올려 복부를 비틀어줘.
왼쪽 오른쪽 양쪽 다 해줘. 뱃살이 빨래처럼 비틀어지도록!

야채 돌돌! 고기 돌돌! 고기말이

연말에는 고기지! 얇게 썬 소고기, 깻잎, 쪽파를 준비해줘.
좋아하는 다른 야채를 넣어도 좋아.
소고기와 야채를 검지 크기로 썰고, 고기 위에 야채를 얹어
돌돌 말아줘! 그리고 고기가 익을 정도만 구워서
예쁘게 접시에 담으면 완성이야.

연말 되면 한 해를 마무리하는 모임이 많지.
마지막이라고 느슨해지면 살찌는 거 순간이야.
송년회를 운동 습관 망치는 순간으로 만들지 말자!

December

22

첫 번째 세트 10개, 두 번째 세트 7개,
세 번째 세트 5개

시작!

동작 완성!

푸시업&스쿼트

손으로 바닥을 짚고 두 발은 뒤로 점프해 엎드린 다음 가슴이
바닥에 닿도록 완전히 엎드려줘. 그리고 가슴을 들어 엎드린
자세로 돌아온 뒤 두 발로 점프해서 스쿼트 자세로 돌아오면 돼!

December

23

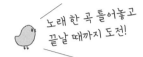
노래 한 곡 틀어놓고
끝날 때까지 도전!

하나둘셋 무릎 올리기

선 상태에서 무릎을 두 번 들어 올리고, 세 번째에서 무릎을
올린 상태로 잠시 멈춰 중심을 잡아줘. 배에 힘을 주고 진행
해주면 더 좋아.

December

24

20개씩 3세트

쓰러스터&사이드 킥

다리를 어깨너비로 벌리고 서서 스쿼트하고, 일어나면서 양팔을
머리 위로 쭉 올려줘. 한쪽 팔은 그대로 머리 위에 두고, 반대쪽은
팔꿈치와 무릎이 만나도록 팔을 접어 당기고, 무릎을 들어 올려줘.

December

25

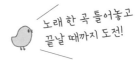

노래 한 곡 틀어놓고
끝날 때까지 도전!

Y.W.T 스텝

발은 뒤꿈치로 엉덩이를 찬다는 느낌으로 계속 움직여주고,
팔은 Y, W, T 모양을 번갈아 가면서 만들어줘. 팔은 최대한
뒤로 쭉쭉 보내주면 효과가 더 좋아.

December

26

20개씩 3세트

스쿼트 크로스 니턱

손을 귀 쪽에 대고 스쿼트하고 일어나는 동시에 무릎과
팔꿈치가 대각선으로 닿는다는 느낌으로 몸을 비틀어줘.
스쿼트할 때는 무릎이 모이지 않도록 주의!

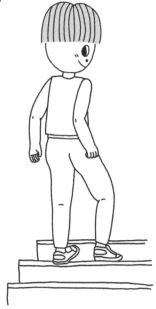

December

27

제2의 심장 종아리

종아리는 하반신의 혈액이 심장으로 흐를 수 있게 도와줘.
혈액 순환이 잘될 수 있게 종아리를 풀어주자.
계단이나 턱이 보이면 한쪽씩 쭈욱 늘려주는 거야!

December

28

건강해진만큼 셀프 선물!

12월까지 오면서 많이 건강해졌지?
몸무게가 빠졌다면 빠진만큼 건강 수치가 좋아졌다면
좋아진 만큼 스스로에게 셀프 선물을 해주자!
열심히 한 사람일수록 좋은 선물을 받겠지!

December

29

20개씩 3세트

사이드 스쿼트&로우

한쪽 다리를 옆으로 옮겨 스쿼트하면서 앉아줄 건데, 이때
팔을 앞으로 쭉 뻗어줘. 일어나면서 다리를 모아주고, 팔은
팔꿈치끼리 뒤에서 만난다는 느낌으로 뒤로 보내줘.

정체기가 오는 대표적인 이유 세 가지

1. 몸이 원래 체중을 유지하려고 버티는 중

2. 근육량이 너무 부족해 몸이 근육량부터 늘리고 있는 상태

3. 나도 모르게 전보다 해이해졌을 때

정체기 극복기

다이어트하다 보면 정체기를 한 번씩 겪게 되지!
1번일 경우에는 운동 시간보다는 강도를 높여주면 좋아.
2번일 경우에는 운동은 그대로 유지하되
식단에 단백질 비중을 높이면 좋아.
3번은 정신부터 다잡자!

오늘은 쉬는 날!

365일 동안 최선을 다한 나를 축하해주자!
내일부터는 건강 일력을 다시 1월로 돌려서
새롭게 시작하는 거야!

다. 식습관도 바꿨다. 소아비만일 때부터 이어져 온 빨리 먹는 습관을 버리고 남들과 속도 맞춰 먹기, 1인분만 먹기 등 실천할 수 있는 것부터 시작했다. 그렇게 5년 반, 50kg을 감량했다.

많은 사람들은 단기간에 빨리 그리고 많은 살을 빼고 싶어 한다. 한 달에 10kg 감량을 목표로 극단적인 다이어트 방법을 선택하기도 한다. 하지만 경험에 온 바로는 그렇게 해서 다이어트에 성공한다고 해도 99% 요요가 온다.

만약 내가 처음 다이어트를 시작할 때 닭 가슴살, 야채, 고구마만 먹기, 하루에 두 시간씩 헬스장 가서 운동하기를 목표로 잡고 운동을 했다면 금방 지쳤을 것이다. 한 달에 2kg씩 감량해도 1년이면 24kg임을 잊지 말고, 내가 할 수 있는 것부터 실천해야 한다. 하루에 스쿼트 100개를 한 달 동안 해보기, 하루에 만 보 걷기 등 할 수 있는 것부터 하나씩 실천하고, 운동이 습관으로 자리 잡을 수 있게 하는 것이 중요하다. 그래야만 건강한 다이어트를 할 수 있다.

건강하자고 하는 다이어트인데 몸 상하게 하지 않았으면 좋겠다. 운동을 처음 시작할 때 헤매지 않았으면 좋겠다. 그래서 이 일력을 준비했다. 나는 운동을 처음 시작했을 때 하루에 한 동작을 골라 시간이 될 때마다 했다. 운동 외에도 생활 습관, 식습관 등 실천할 수 있는 것부터 일단 시작했다. 이 일력은 그 경험을 담았다. 어제보다 더 건강한 나를 위해 이것만큼은 따라 하자. 몸은 절대 거짓말하지 않는다. 내 몸에 투자한 시간만큼 몸은 나에게 답을 줄 것이다.

꽃다운 스무 살, 길을 가다가 쓰러졌다. 운동을 배워본 적도, 식단을 하는 법도, 다이어트라는 것을 도전해보지도 않았던 나에게 다이어트 시작은 험난한 길이었다. 많은 사람들이 하는 유명 다이어트 중 안 해 본 다이어트가 없을 정도로 전부 다 해봤다. 단기간에 많은 체중을 감량하는 다이어트를 하며 잦은 요요를 겪었으며, 몸도 마음도 건강이 안 좋아지고 있던 중 결국 쓰러진 것이다. 네 명의 건장한 구급대원이 들것을 들고 와 나를 눕히고 일어서는데 끙끙거리며 제대로 들지를 못했다. 쥐구멍이라도 있다면 숨고 싶었다. 쥐구멍에 들어가지 못한 나는 그저 눈을 감고 기절한 척을 할 수밖에 없었다. 병원에 가서 처음으로 몸무게를 재봤다. 뚱뚱한 건 알고 있었지만 100kg이 넘었다는 건 그 날 처음으로 알게 되었다. 의사는 이렇게 가다간 진짜 위험하다며 살을 빼야 한다고 말했다. 너무 억울했다. 유명하다는 다이어트는 다 해봤는데 살이 빠지기는커녕 요요로 더 찌기만 했다. 답답한 마음에 다이어트는 열심히 하는데 안 빠진다고 어떻게 하면 되냐고 물었고, "운동하셔야죠." 돌아온 대답에 뒤통수를 한 대 맞은 기분이었다. 다이어트를 하면서도 운동할 생각은 하지 못했다. 운동이라는 것은 아예 접하지도 못했다. 그렇게 의사의 한마디에 나는 운동의 세계에 입문하게 되었다.

운동을 배워 본 적 없을뿐더러 일 때문에 바빠 시간도 없었기에 생활습관을 바꾸는 것부터 시작했다. 매일 한 시간 거리를 걸어서 출퇴근하고, 화장실 갈 때 스쿼트를 하고, 틈날 때마다 스트레칭을 했

김주원

104kg에서 54kg으로 5년 반에 걸쳐 50kg을 감량한 다이어터이자 14년째 유지 중인 유지터. 각종 다이어트 방법을 경험하고 운동의 세계에 입문했으나 어떤 운동을 해야 할지, 어디서부터 시작해야 할지 어려움을 겪었다. 다이어트 도전과 실패의 경험을 바탕으로 일단 하루 한 동작, 생활 습관 바꾸기 등 실천할 수 있는 것부터 하나씩 바꿔나가며 꾸준히 이어온 결과 다이어트에 성공했고 운동은 일상생활 속에서 시간이 없어도 할 수 있다는 것을 깨달았다.

이후 운동을 언제 어디서나 쉽게 접할 수 있고, 즐겁게 할 수 있도록 만들고 싶다는 목표를 가지고 운동법을 인스타그램과 유튜브, 책을 통해 사람들에게 공유했다. 이내 운동을 어렵고, 복잡하게만 생각하는 사람들로부터 많은 공감을 얻어 현재 52만 팔로워를 보유한 인플루언서이자 47만 구독자의 유튜브 채널 <삐약스핏>을 운영하며 활발히 소통을 이어가고 있다. 같이 운동하고 있는 소중한 사람들과 실버핏까지 함께 하는 그날을 위해 오늘도 운동하고 있다.

저서

☆ 주원홈트   ☆ 주원홈트 100

☆ 주원홈트 맥시멈   ☆ 주원홈트 플랜북

☆ 다이어트, 진리는 정신개조

인스타 @joowon.unnie   **유튜브** 삐약 스핏

오늘부터 시작하는
건강 일력 365

초판 1쇄 발행 2022년 12월 20일

지은이 김주원

펴낸이 김남전
편집장 유다형 | 편집 이경은 | 디자인 양란희 | 일러스트 김유진
마케팅 정상원 한응 김건우 | 경영관리 임종열 김다운

펴낸곳 ㈜가나문화콘텐츠 | 출판 등록 2002년 2월 15일 제10-2308호
주소 경기도 고양시 덕양구 호원길 3-2
전화 02-717-5494(편집부) 02-332-7755(관리부) | 팩스 02-324-9944
포스트 post.naver.com/ganapub1 | 페이스북 facebook.com/ganapub1
인스타그램 instagram.com/ganapub1

ISBN 979-11-6809-070-5 (02510)

project H. 건강한 세상을 지향하는 프로젝트 그룹입니다.

가나출판사는 당신의 소중한 투고 원고를 기다립니다. 책 출간에 대한 기획이나 원고가 있으신 분은 이메일 ganapub@naver.com으로 보내주세요.

오늘부터 시작하는

건강
일력

365

김주원 지음

KB041210

기나나 project H.